Paralchimie

DU MÊME AUTEUR

☆m

ENTRE FANTOINE ET AGAPA, nouvelles, 1951.
MAHU OU LE MATÉRIAU, roman, 1952.
LE RENARD ET LA BOUSSOLE, roman, 1953.
GRAAL FLIBUSTE, roman, 1956.
BAGA, roman, 1958.
LE FISTON, roman, 1959.
LETTRE MORTE, pièce en deux actes, 1959.
LA MANIVELLE, pièce radiophonique, 1960.
CLOPE AU DOSSIER, roman, 1961.
L'INQUISITOIRE, roman, 1962.
AUTOUR DE MORTIN, dialogues, 1965.
QUELQU'UN, roman, 1965.
LE LIBERA, roman, 1968.
PASSACAILLE, roman, 1969.
FABLE, récit, 1971.
IDENTITÉ, suivi de ABEL ET BELA, théâtre, 1971.

ROBERT PINGET

Paralchimie

suivi de

Architruc . L'Hypothèse
Nuit

LES ÉDITIONS DE MINUIT

© 1973 by LES ÉDITIONS DE MINUIT
7, rue Bernard-Palissy, 75006 Paris
Tous droits réservés pour tous pays

Paralchimie

PERSONNAGES

MORTIN, vieillard.

LUCILE, nièce de Mortin.

ERARD, valet de Mortin.

LE PLOMBIER.

Toute la pièce, qui s'invente au fur et à mesure de son déroulement, est une projection de l'inconscient de Mortin lequel se veut auteur de théâtre en même temps qu'il s'imagine rechercher, à l'instar des alchimistes d'autrefois, une vérité idéale. La materia prima serait ici le langage dramatique.

Les scènes se succèdent très rapidement, différentes de ton et d'éclairage, comme le processus accéléré de la transformation de la matière.

Le décor, très simplifié, évoque en partie le cabinet d'un alchimiste, en partie celui d'un ingénieur du son de naguère. Cornue, grimoire, gramophone à pavillon, etc. Une table et trois sièges.

Mortin est un vieillard d'allure inquiétante et ridicule. Au lever du rideau il est installé à sa table.

Acte premier

Acte premier

SCENE I

MORTIN. — Faire appel à ce qui est grand.
Ou du moins à ce qui naguère nous paraissait tel.
Trois ou quatre notions, en bref, qui fonderaient une action dramatique c'est-à-dire immédiatement opposée à l'existence naturelle. Définir le drame comme le plus haut moment de l'art, encore que toute forme d'art soit dramatique mais nous parlons ici théâtre.
Nous y voilà mon cher artiste et je vous somme d'abandonner sur-le-champ tout reliquat de comportement trivial c'est-à-dire tributaire des transpirations, digestions, sécrétions et autres modifications organiques sans rapport avec l'essentiel.
Ce nous impénétrable, intransportable et magnifique.

Je prie en outre les esprits forts et autres
tenants de la démocratie ou de la lutte des
classes, qu'elle soit verbale, sentimentale,
électorale ou monnayable de clore leur bec
ou de l'aller plonger loin d'ici dans n'importe quoi. Ils n'ont que faire à cette noble
assemblée.

Nous donc à la fin de notre âge, inquiétés
par remous provenant d'outre-fond, nés de
temps antérieurs, posons aujourd'hui la
question qui sommes-nous et Dieu ou diable
nous entende.

Nous nommerons selon notre propos ces
thèmes directeurs succinctement ainsi

> l'âme
> Dieu
> l'art
> et l'amour.

Etant entendu que l'on retrouve partout de
l'un dans l'autre, tout l'un dans tout l'autre,
tous les uns dans tous les autres, tout l'un
dans tous les autres, tous les autres dans
tout l'un. Mais nous entendons aujourd'hui
avoir une action publique et simplifier est
de rigueur.

Désignons ce coin-ci comme étant le lieu du spectateur (*il désigne le public*), celui-là comme étant le lieu du drame (*il désigne la scène*) avec cour et jardin de part et d'autre. (*Un temps.*)

Une âme disais-je.

Elle est là, debout (*il se redresse*), contre vents et marées, face aux outrages du temps, de la nature et de la mort, ce qui revient au même. La soixantaine vient de sonner, l'âme s'inquiète, elle fait appel à toute sa vigueur. Mais l'a-t-elle toute ? Quelque chose semble manquer. Quelque force se serait éclipsée. Drôle n'est-ce pas et significatif que tel malaise engendre le besoin de pérorer, de plastronner, de pontifier, comme si toute élucidation n'était envisageable qu'en public, comme si tout réconfort ne pouvait issir que du divorce d'avec soi qu'est le modus cabotin. (*Un temps. Autre ton.*) Cette hypothèse à préciser. (*Ton précédent.*) Nous donc âme fatiguée qui incline vers la tombe en appelons aux puissances dérisoires du verbiage pour nous requinquer à l'aide du silence qu'elles sauvegardent et nous acheminer gaillards vers le lieu où jamais à nulle connaissance ni verbe ni silence n'ont jamais été de mise.

Un temps.

Au risque de redites nous affirmons que l'âme...

SCENE II

(Entre Lucile)

LUCILE. — Mon oncle, votre bouillon est prêt. Dois-je vous le servir ?

MORTIN. — Apportez-le, Lucile.

LUCILE. — Autre chose, mon oncle. Le plombier demande à vous parler. Il est dans la cuisine.

MORTIN. — De quoi s'agit-il ?

LUCILE. — D'une question... Comment dire...

MORTIN. — Indicible ?

LUCILE. — Non pas. Un peu triviale et qui ne cadre guère...

MORTIN. — Nihil obstat.

LUCILE. — Eh bien, la chasse d'eau, mon oncle.

MORTIN. — La chasse d'eau ! Belle image. Suis-je indispensable pour en venir à bout ? Que me veut ce plombier ?

LUCILE. — Il veut absolument vous voir.

MORTIN. — Qu'il vienne.

LUCILE. — Soit.

(*Exit Lucile*)

SCENE III

MORTIN. — Ce que nous avions nommé l'âme et qui était peut-être, informée par notre éducation bourgeoise, une faculté de s'émouvoir bien plus que de retenir ensemble, comprendre, agir. Spectacle odieux du péché, de la misère, de la haine et de l'indifférence. Etions-nous dans la vérité ? Ad primum sic proceditur. Videtur quod anima sit corpus. Anima enim est motor corporis.

Non autem est movens non motum. Tum quia videtur et caetera. Ergo anima est corpus.

Quel réconfort ne puise-t-on pas dans le Docteur Angélique ! L'histrion que je suis demande une minute de silence à la mémoire de ce grand homme. (*Un temps. On frappe.*)

Entrez.

SCENE IV

(*Entre le plombier.*)

PLOMBIER. — Messire.

MORTIN. — Alors c'est vous le plombier ?

PLOMBIER. — C'est moi.

MORTIN. — Exposez-nous votre problème.

PLOMBIER. — Eh bien voilà.

En remontant de la canalisation extérieure

jusqu'au siphon intérieur, passant par les divers méandres, courbes, coudes, anses, orbes et figures similaires que composent gracieusement le tuyau de vidange comme aussi celui d'évacuation sans compter l'alimentation, la fermentation, la décoction, la segmentation, l'aération, la sublimation, cuivre, plomb, émail, fer-blanc, antimoine et consort, remontant dis-je de ladite jusqu'à la cause du bouchon de matières situé au niveau le plus bas de la cuvette j'ai constaté que lesdites étaient de nature...

MORTIN. — Au fait plombier, au fait.

PLOMBIER. — Eh bien monsieur, il n'y a pas que de la crotte.

MORTIN. — Fichtre !

PLOMBIER. — Il y a parmi, qui fait une boule compacte, une espèce... Comment dire...

MORTIN. — Ne le dites pas. Faites votre travail, débouchez, rebouchez, siphonez, ventousez, tringlez, plombez et fichez-moi la paix.

PLOMBIER. — Si c'était aussi simple...

MORTIN. — Quoi d'autre ?

PLOMBIER. — A considérer l'état vétuste de cette installation de campagne sans vouloir vous offenser, il serait souhaitable pour vous épargner de nouvelles alertes d'en changer les principales pièces à commencer par la canalisation extérieure, l'intérieure, le siphon, la vidange, l'alimentation, l'évacuation, l'émanation, l'intuition, la détection, l'information, la déduction, la cuvette, la chasse d'eau et généralement tout ce qui forme pour ainsi dire le gros du système en question.

MORTIN. — Une installation nouvelle ? Vous n'y pensez pas ?

PLOMBIER. — Primum cacare.

MORTIN. — Primum vivere.

PLOMBIER. — Similia similibus similiter simulatio. Videtur quod irascibilis et concupiscibilis non obediunt rationi. Irascibilis enim et concupiscibilis sunt partes sensualitatis.

MORTIN. — Qu'est-ce que vous me chantez là ?

PLOMBIER. — Ergo caca caca caca.

MORTIN. — Vous pouvez disposer.

(*Le plombier se retire en chantant.*)
Anima anima anima
Blabla blabla blabla
Similia similia similia
Patatras patatras patatras.
(*La chanson est reprise par d'autres voix off accompagnées d'une musique d'orgue fortissimo.*)

(*Exit plombier*)

SCENE V

MORTIN. — Et voilà déchaînées les puissances infernales, c'était couru d'avance. Elevez vos pensées vers la lumière, les ténèbres se concertent pour vous investir. Ces choses-là sont élémentaires mais pas familières pour autant. Nous tendrons ici à les maîtriser mais ne préjugeons de rien. Ouvrons-nous aux phénomènes sans en tirer de hâtives conclusions. Toute matière est convenable pour cette sorte d'expérience, nous avons choisi celle-là (*il désigne circu-*

lairement la scène), nous n'en démordrons pas qu'il n'en sorte quelque indice. Patience, patience. (*Un temps.*)
Pour l'instant réduisons nos visées et attendons notre bouillon.

SCENE VI

(*Entre Lucile portant une tasse de bouillon.*)

LUCILE. — Voici, mon oncle.

MORTIN. — Merci, ma nièce.

(*Il prend la tasse et boit.*)

LUCILE. — Vous semblez contrarié.

MORTIN. — Quelque difficulté à fixer ma pensée. Et ce plombier n'a rien arrangé. Vous l'avez éconduit je présume ?

LUCILE. — N'avez-vous pas donné l'ordre de changer l'installation sanitaire ?

MORTIN. — Si fait, si fait. Où avais-je la tête ? (*Un temps.*) Lucile, que pensez-vous de l'âme humaine ?

LUCILE. — C'est une bien grande question.

MORTIN. — Essayez d'y répondre.

LUCILE. — Il me semble que... (*Un temps.*) On nous disait au catéchisme... N'est-ce pas le souffle de Dieu ? Oui, il a soufflé sur la boue du corps et voilà l'homme vivant.

MORTIN. — Mais encore ?

LUCILE. — L'âme est la puissance d'amour. Sans elle n'existe rien et par elle tout. Toutes qualités sont siennes, y compris la beauté du corps. Lorsque je pense à l'âme je pense poésie.

MORTIN. — Quelle envolée ! Mais encore ?

LUCILE. — Elle est toute vie de par le monde. Le mouvement des astres, celui des saisons, de la nature, de l'humanité qui progresse vers l'unité finale et la réconciliation définitive.
Voyez mon oncle, il me semble que passé ma jeunesse et l'attrait des sens puisqu'ils sont un obstacle au perfectionnement de l'âme, passé le temps d'amour profane je

n'aurai d'autre hâte que celle de me donner toute au service de celui qui est l'âme universelle, le don suprême, le maître du monde.

Au milieu d'une nuit obscure
Brûlant d'amour et d'angoisse
O bienheureuse fortune
Je suis sortie en cachette
Alors que tout dormait à la maison.

Au milieu de la nuit bénie
En secret nul ne me voyait
Et je ne voyais rien ni personne
Sans autre guide ni soutien
Que la lumière brûlant en moi.

MORTIN. — Holà ma nièce !
LUCILE. — Quare tristis es anima mea et quare conturbas me ?
Spera in Deo quoniam adhuc confitebor illi salutare vultus mei et Deus meus.
(*On entend en coulisse la chanson du plombier.*)
LUCILE. — Qu'est-ce que c'est ?
MORTIN. — La chanson du plombier.

LUCILE. — Je ne tolère pas ça chez vous. (*Elle reprend la tasse à son oncle et sort. La chanson cesse.*)

SCENE VII

MORTIN. — Voilà que les choses se compliquent. Mais nous l'avions prévu. Cette pucelle confond l'âme avec la pureté et la gloire de Dieu, avec la poésie, la prière et le salut du monde. Mélasse mélo-dramatique. Difficulté du sujet. Mais nous ne reculerons devant aucun obstacle. Voyons. Pour illustrer ce thème ardu l'intrigue populaire serait la suivante. Une âme pure s'éprend d'une âme sœur. C'est le printemps de la vie. Mais bientôt se révèle le ver dans le fruit et chacun succombe à la tentation. Pourriture, fornication, orgies. Or l'esprit veille et quand on s'y attend le moins il vient sauver tout le monde à la barbe du Malin. Tout cela compliqué d'événements imprévus. L'inconscient bouillonne et se manifeste par toute la clique des lapsus, actes manqués, rêves et consorts. Satan a beau jeu pour brouiller les cartes.

Des durch die ganze Welt beruffenen Erz-Schwarz-Kunstlers Zauberers Doctor Johann Jemand, mit dem Teufel aufgerichtetes Bundnisz...

(*Un temps.*)

Nous placerons ici l'âme pure (*il désigne un siège*). Là l'âme sœur (*il en désigne un autre*). Scène d'amour à composer promptement. Pour ce qui est du texte mes deux benêts feront merveille. Mais d'abord les acteurs.

(*Il crie*) Holà ma nièce !

SCENE VIII

(*Entre Lucile.*)

LUCILE. — Mon oncle ?

MORTIN. — Etes-vous toujours disposée à me seconder dans ma tâche ?

LUCILE. — Toujours, mon oncle.

MORTIN. — Je suis si seul, Lucile. Ce projet m'effraie. Il me semble revivre les angoisses d'antan devant le choix d'une carrière. J'ai toujours été maître de ma volonté, allant droit au but, et voilà qu'un tremblement m'agite. Voyez. (*Cabot, il tend sa main qui tremble.*)

LUCILE. — Ce n'est rien. Nervosité passagère. Que puis-je pour vous aider ?

MORTIN. — Votre sensibilité, votre intelligence me seraient d'un précieux secours si je ne craignais de vous distraire de vos occupations. Et de plus il me faudrait la présence de notre domestique.

LUCILE. — Erard ? En quoi ce demeuré peut-il vous être utile ? D'ailleurs il refusera d'être dérangé dans son travail.

MORTIN. — Que fait-il ?

LUCILE — Bavarde avec le plombier.

MORTIN. — Voulez-vous essayer de le convaincre ? Qu'il laisse momentanément sa tâche domestique et vienne s'asseoir ici.

LUCILE. — A votre gré.

(*Exit Lucile.*)

SCENE IX

MORTIN. — Rien de moins que ressusciter la légende. Particulièrement casse-gueule. Avec pour support de l'action quelque discours obscur, allégorique ou porno qui révèlerait parallèlement et comme en filigrane l'âme noire du maître de céans. Le pacte serait fait avec le public, sauvegarde de l'incriminé et non plus condamnation. Cependant, ne pas nous embarrasser de références précises, elles feraient que jamais ne décollerait la machine. Or nous devons survoler.

SCENE X

(*Entrent Lucile et Erard.*)

MORTIN. — Asseyez-vous. (*Ils s'assoient. Un temps.*) Il s'agirait de jouer une scène d'amour. Mais de la meilleure qualité.

C'est le printemps de la vie. Des petites fleurs sont partout dans la nature et dans vos cœurs. Chacun ne parle à l'autre que de choses élevées afin que nous ne tombions pas dans le charabia des passions ni les bégaiements du désir. En bref, vous parlez de votre âme, ayant chacun par miracle trouvé celle qui lui répond.

Lucile, vous avez esquissé quelque chose tout à l'heure qui conviendrait pour amorcer le dialogue.

LUCILE. — Moi, mon oncle ?

MORTIN. — Oui. Ce beau cantique de la nuit de l'âme et vos aspirations vers le Très-Haut.

LUCILE. — Je crains mon oncle que vous ne vous mépreniez. Comment moi pauvrette aurais-je pu dire de si belles choses ? Je n'ai que des soucis domestiques, les tracas de votre ménage et de petites joies sans rapport avec ces nobles aspirations. Et puis, mon oncle, le printemps pour moi n'est représenté depuis toujours que par le pot de primevères dont vous me faites cadeau au sortir des frimas.

MORTIN. — Voyons Lucile, rassemblez vos souvenirs. Vous venez à l'instant de me dévoiler votre goût du ciel.

(*On entend à nouveau la chanson du plombier.*)

LUCILE. — J'aurais mieux fait d'écouter mon sentiment et d'éconduire ce grossier personnage. Quel besoin avions-nous d'une nouvelle installation ? La cuvette était encore très convenable, de même que la tuyauterie et tout. Pour un petit flotteur déglingué nous mettre toutes ces dépenses sur le dos ! Ce plombier est malhonnête. Souffrez que je lui fasse cesser sur-le-champ et sa chanson et ses travaux. Nous trouverons quelqu'un d'autre.

ERARD. — Que Monsieur se laisse persuader, je n'aime pas non plus le bonhomme.

(*La chanson cesse.*)

MORTIN. — Non. Laissons-le poursuivre son travail. Et que ses insanités... Bref, ne lui accordons pas plus d'importance qu'il n'en a. (*Un temps.*) Etes-vous prêts ?

ERARD. — Et moi Monsieur, qu'est-ce

que je dois dire ? Vous savez bien que je
suis un mécréant.

MORTIN. — Eh bien ayez un langage
profane mais sans tomber dans la vulgarité.

(*Lucile et Erard se regardent gênés. Un
temps.*)

MORTIN. — Ça y est ? Qu'Erard com-
mence. (*Un temps.*) Alors ?

ERARD. — Monsieur c'est impossible. Je
ne sais rien et Mademoiselle m'impressionne.

MORTIN. — Et vous Lucile ?

LUCILE. — Vous m'avez fait beaucoup
d'honneur en m'attribuant ces beaux discours. Votre tendresse vous aura abusé.
J'étais venue vous apporter votre bouillon,
c'est tout.

MORTIN. — Dieu que la jeunesse est
butée et manque d'imagination ! (*Un
temps. Il va parler pour l'un et l'autre sur
un ton lyrique et outré.*)
D'abord Erard.
« Mais quel poids t'alourdit ô mon âme
Sur ce grabat du temps par ma peine mouillé
Comme un enfant à naître au ventre d'une
                                                [femme

Pressé de voir le jour et tôt désenchanté. »
Et Lucile répond
« Depuis qu'en ce jardin les ans sèment le
[lierre
Le monde m'apparaît comme un triste
[grand-père
Qui pleure son épouse en ses habits de veuf.
   (*Il désigne à nouveau Erard.*)
Sous ce fagot qui te console
O mon âme crois-tu donc pas
Retrouver l'espoir d'une folle ?
   (*Il désigne Lucile.*)
Que me fait le fagot en ce désert aride
Que me ferait mon cœur si mon cœur était
[vide
Je n'aperçois ici que défunts et faux pas. »

   LUCILE. — Comme c'est triste ce que
vous nous faites dire ! Est-ce vraiment le
langage de l'âme ?

   ERARD. — Moi je ne comprends pas.

   MORTIN. — C'est d'une grande éléva-
tion. Savoir ce que ça veut dire est une
autre question. Le langage de l'âme est
obscur et c'est d'abord au poète de le déchif-
frer.

(*Un temps.*)

Voyons Erard, faites un effort et parlez-nous un peu de vos aspirations. Si Lucile n'était pas là, que diriez-vous de l'amour ?

ERARD. — Si Mademoiselle n'était pas là ?

MORTIN. — Où plutôt si vous deviez lui dire à elle que vous êtes épris de quelqu'un.

ERARD. — Epris de quelqu'un ?

MORTIN. — Ne faites pas l'idiot. Que ressent-on lorsqu'on est amoureux ?

ERARD. — Ce qu'on ressent ?

MORTIN. — Quelle sorte de tourment ?

ERARD. — De tourment ?

MORTIN. — De désir ?

ERARD. — De désir ?

MORTIN. — D'envie si vous préférez.

ERARD. — Monsieur le sait aussi bien que moi.

MORTIN. — Je vous prie de me répondre. Que ressentez-vous ?

ERARD. — Ce n'est pas très honnête à dire.

MORTIN. — Rien que ça ? Aucun

besoin de parler, parler, parler ? Crier sur les toits que vous êtes possédé, que cette personne est la plus belle, la plus douce, la plus sage, la plus folle, la plus cruelle, la plus aimable, la plus proche, la plus distante, la plus avare, la plus magnanime...

ERARD. — Je ne suis pas si bavard.

LUCILE. — Je lui donne raison. Un noble sentiment est bien au-delà de toute parole. Jamais je ne me fierais à un bavard en ce domaine. Vous confondez les genres, mon oncle.

MORTIN. — Je ne confonds rien, j'interroge.

LUCILE. — Il vous répond qu'il n'a rien à dire et vous en concluez qu'il n'a pas de sentiment.

MORTIN. — Mon Dieu Lucile, il ne s'agit pas de ça mais d'approcher une définition de l'âme prise ailleurs que dans saint Thomas. Faire sortir Erard de ses soucis ménagers, l'engager à nous livrer un peu de lui-même et j'ai pensé que la meilleure façon...

LUCILE. — Vous avez mal pensé.

Tout le monde n'aime pas pousser la chansonnette. Et si le discours électoral a vos suffrages il n'a pas les miens.

Depuis quand cette manie de l'âme ? Et celle des définitions ? Vous me faites penser à un potache qui n'aurait pas digéré son dernier cours. Allons mon oncle, les théories n'ont que faire ici. Des actes, des actes.

MORTIN. — Vous m'irritez tous les deux. Veuillez vous retirer.

LUCILE. — Voilà bien votre façon de passer aux actes.

MORTIN. — Et vous la vôtre de me pousser à bout. Allez.

(*Exeunt Lucile et Erard.*)

SCENE XI

MORTIN. — Revenons à de plus secrets propos.

(*Il déambule comme se trouvant dans le souterrain qu'il décrit. Ton mystérieux.*)

— 37 —

Sous le château subsistent les caves de l'ancien couvent où l'on peut accéder soit par les cuisines actuelles soit par le terre-plein nord où affleure un escalier tant bien que mal aménagé. Une herse s'ouvrait en effet trois mètres au-dessous du terre-plein presque au niveau de l'étang et avait dû servir de porte dérobée. Par les cuisines on descend une vingtaine de marches raides et l'on aboutit à un couloir large de cinq mètres qui traverse en diagonale la moitié de la surface du château. Ce couloir est creusé dans le roc comme tout le sous-sol de l'édifice. Ses murs sont habillés de mortier à la chaux et sa voûte est de pierre noirâtre.

(*Un temps. Ton normal.*)

En cas de panne retourner aux sources. Les grands thèmes de la profondeur, de la hauteur, de la longueur, de la largeur, de la noirceur et caetera, piège éculé s'il en est mais encore utile et qui sait qui sait... La champignonnière, voilà. Nous en ferons une champignonnière. Cryptogames et démons. Une foule grouillante, mortelle et salutaire. Que ne sortira-t-il pas de nos caves, que ne pas y cultiver ? Toute pourriture et tout remède.

(*Un temps.*)
Je continue.

SCENE XII

(*Entre Lucile portant une tasse de bouillon.*)

LUCILE. — Je vous apporte votre bouillon.

MORTIN. — Comment mon bouillon ? Ne viens-je pas de le prendre ?

LUCILE. — Plaît-il ?

MORTIN. — Je dis, ne viens-je pas de le prendre ?

LUCILE. — Votre bouillon ? Mon oncle il me faut vous gronder. A force de travail vous perdez la mémoire et cela peut vous conduire à votre ruine. Qu'est-ce en effet que notre cuirasse contre la mort ? Qui nous fait nous tenir debout, respirer, comprendre et aimer ? La mémoire et elle seule. Cette tasse de bouillon, un test bien imprévu.

MORTIN. — Ma nièce vous me surprenez de jour en jour davantage. Vous voilà philosophe, moraliste et tout d'un seul coup, vous qui l'an dernier encore courriez après les papillons et refusiez de manger votre soupe.

LUCILE. — Rien ne m'empêcherait aujourd'hui d'en faire autant mais vous me faites cadeau de quelques années et je vous répète que vous n'allez pas bien, vous m'inquiétez.
Tenez, prenez votre bouillon.

(*Elle lui tend la tasse que prend Mortin.*)

MORTIN. — Je ne suis pas convaincu et je vous soupçonne de manigancer quelque chose.

LUCILE. — Quoi, mon oncle ?

MORTIN. — Me persuader que je suis plus malade que de raison pour en tirer quelque avantage mais je ne vois pas lequel puisque vous avez chez moi tout ce qu'il vous faut.
De quoi vous plaignez-vous ?

LUCILE. — Vous me désolez. Je pleure facilement, vous le savez.

MORTIN. — Sais-je encore quelque chose de vous ? (*Un temps.*) Qui a préparé ce bouillon ?

LUCILE. — Moi mon oncle, comme à l'ordinaire.

MORTIN. — De quoi est-il fait ?

LUCILE. — Concentré de légumes cuits à l'eau, concentré de viande rouge, œuf frais battu et goutte de porto.

MORTIN. — (*Il sent le bouillon et grimace.*) Il sent l'ail.

LUCILE. — Il y en a quelque peu, pour son bon goût.

MORTIN. — Il paraît que l'odeur d'ail... (*Un temps.*)

LUCILE. — L'odeur d'ail ?

MORTIN. — Rien. Je plaisantais. (*Il lui rend la tasse.*) Souffrez que je n'en boive pas pour l'instant, une indisposition ne me le rend pas souhaitable.

(*Lucile reprend la tasse.*)

LUCILE. — Il a tout pour vous réconforter. Voilà ma récompense.

(*Un temps.*)

MORTIN. — Ce plombier est-il parti ?

LUCILE. — Quel plombier ?

MORTIN (*s'irrite*). — Le plombier, le plombier qui nous importune depuis ce matin et qui chante si mal à propos.

LUCILE. — Il est loin depuis huit jours, son travail accompli. Vous voyez que vous n'êtes pas bien.

MORTIN. — Alors ?

LUCILE. — Alors quoi, mon oncle ?

MORTIN. — Qui me dit que c'est moi qui ne vais pas bien ?

LUCILE. — Moi, mon oncle.

MORTIN. — Et si je ne prêtais pas foi à vos dires ?

LUCILE. — Vous me feriez mourir de chagrin.

MORTIN. — Mais encore ? (*Un temps.*) Veuillez vous retirer.

LUCILE. — Et vous, vous mettre au lit.

(*Exit Lucile.*)

SCENE XIII

MORTIN. — (*Ton mystérieux.*) Un escalier descend au second sous-sol, il est constitué de marches de granit rapportées et obstrue la moitié du couloir qui s'ouvre sur la gauche en direction du nord-ouest. Large de trois mètres cet embranchement se greffe sur le couloir principal par un angle de soixante-sept degrés environ, sa paroi de gauche arrivant en ligne droite à l'intersection des murs de la terrasse à balustres après avoir franchi la façade ouest à quinze mètres de l'angle nord. Sur sa gauche et sur sa droite s'ouvrent des portes cintrées de dimensions identiques à celles du grand couloir.

SCENE XIV

(*Entrent Lucile et Erard. Ils ne tiennent aucun compte de la présence de Mortin qui d'abord les écoute bouche bée.*)

LUCILE. — (*ton narratif.*) Que d'une part le boucher était un âne et que d'autre part la modiste était une dinde, comment espérer dans ces conditions qu'il résulte rien de sensé de cette entreprise, et qu'encore non seulement ces deux énergumènes, le mot est un peu fort, non seulement ces deux cervelles d'oiseaux n'étaient guère en mesure d'accoucher d'une idée bien féconde mais que le moment de leur association pour ne pas dire pis avait été choisi à rebours du bon sens, suffit d'imaginer le pétrin dans lequel on se trouvait alors, mieux aurait-il fallu leur clouer le bec sur-le-champ au lieu de se laisser prendre à leurs arguments, à peine des raisons mais pourquoi revenir là-dessus puisque tel avait paru leur verbiage à l'époque, bref ce devait être une affaire classée or voilà, tout le monde n'était pas de cet avis tant s'en faut et la situation risquait de se prolonger, tout laissait même supposer une singulière aggravation.

MORTIN. — Qu'est-ce que cette histoire ?

LUCILE. — A chacun ses obsessions.

ERARD. — (*Ton narratif.*) Ou que le
boucher pas plus que la modiste n'avaient
songé aux conséquences de leur initiative,
c'était en tout bien tout honneur, spontané-
ment et sans envisager une action de durée
supérieure à celle nécessaire pour remédier
à l'état de choses que l'on sait, par consé-
quent temporaire, que de conserve ils
avaient improvisé leur plan lequel s'étant
révélé efficace personne ne se fût avisé d'en
faire prématurément stopper les effets ni
d'en prévoir rien de fâcheux pour l'avenir,
bien au contraire, tout de même, à quoi
voudrait-on en venir, un peu de bon sens,
les arguties ne sont pas de mise, quand on
pense au temps perdu à ces sortes d'imagi-
nations on se demande si la condition pure
et simple de mammifère ne serait pas souhaitable à certains, et tiens puisqu'on y est,
que le boucher soit un âne n'est pas forcément à son passif, c'est un homme tout
d'une pièce et qui présente cet avantage sur
ledit quadrupède de pouvoir boire sans soif,
tous ses amis le diront, citoyen fort sociable,
quoi d'autre est susceptible de créer ou de

resserrer les liens entre habitants d'un même village et village est trop dire, quartier, immeuble ou simplement palier que la boisson, on ne voit pas, l'amour ni l'amitié sans cet adjuvant ne verraient jamais le jour.

MORTIN. — Pourrais-je placer un mot ?

ERARD. — Vous nous feriez perdre le fil.

LUCILE. — (*Ton narratif.*) Aurait eu lieu à la faveur de ces circonstances un événement dont tout le monde pourrait parler mais attention, sans en connaître le fin mot, tellement estomaquant qu'il faudrait être bantou pour le trouver normal, mademoiselle la nièce de Mademoiselle épousant Machin bombardé de ce fait châtelain du pays ensuite d'une succession en zigzag dont cette demoiselle fut la bénéficiaire, la loi vous a des allures tortueuses bien souvent qui ne vont pas toujours à l'encontre des intérêts de certains mais en l'occurrence les trois quarts de la population en furent satisfaits pour différentes raisons dont la moindre n'était pas le lotissement prévu en haut lieu des terrains du château et par suite l'aménagement d'une partie de ce canton en manière de cité ouvrière...

ERARD. — (*Idem.*) ... il l'a échappé belle, défigurer ces campagnes sous prétexte de loger les gens et quelles gens, du bétail d'usine, c'est plus facile que de suivre une politique agricole éclairée, qui peut juger que d'ici quelques années les beaux projets d'entente internationale ne soient à l'eau et que tout leur système industriel ne doive être reconverti comme ils disent, personnellement on s'en tape bien entendu mais en tant que ressortissant de son pays on a le devoir de se pencher sur ces problèmes.

MORTIN. — Estomaquant c'est vous qui l'êtes. Où avez-vous pêché ce discours ? Comment l'avez-vous digéré ?

ERARD. — Les miracles du civisme, Monsieur. Je suis syndiqué et je fréquente les cours du soir. Et mon action politique...

MORTIN. — Votre action politique ?

ERARD. — N'anticipons pas. Quant à Mademoiselle...

MORTIN. — Quant à Mademoiselle ?

ERARD. — Elle...

LUCILE. — Mademoiselle n'a de compte à rendre à qui que ce soit. Une personne de condition est à la hauteur de toute circonstance et ce ne sont pas les atermoiements de mon oncle qui m'arrêteront dans l'accomplissement de mes devoirs.

MORTIN. — Je suis atterré. J'ai réchauffé dans mon sein des canards... des serpents... des... Que vais-je devenir ? Qu'est-ce que cela signifie ? Quelle mouche vous pique ? Que me voulez-vous ?

ERARD. — Où, quand, comment, pourquoi, conséquences, la vieille question historique.

MORTIN. — Je me fous d'être historique, je veux y voir clair.

LUCILE. — Y voir clair ! Quelle prétention !

ERARD. — Poursuivons, poursuivons. Nous n'avons pas de temps à perdre.

LUCILE. — (*Ton narratif.*) Cette pauvre petite donc la fille du couturier décédé il y a une dizaine d'années sa mère était de là-bas, enceinte hors mariage, le père n'était pas plus fait pour la paternité que moi pour

le vol à voile, un accident malencontreux
d'autant plus que ç'a été sa seule expérience
des femmes, on voit ce que je veux dire,
mais la famille a exigé qu'il épouse pensant
peut-être le remettre ainsi dans le chemin
de tout le monde, elle s'est gourée la famille,
il n'y a pas eu plus malheureuse que sa
femme et la fille a les penchants du père à
rebours qu'elle n'aurait peut-être pas eus
élevée dans un autre milieu, cela dit sans
juger personne, d'autant moins que la
modiste est quelqu'un de bien sous tous
autres rapports, honnête et travailleuse,
n'avoir pas inventé la poudre elle n'y peut
rien et ce serait une raison de plus pour la
plaindre vu le guêpier où elle se trouve pré-
sentement.

ERARD. — (*Ton narratif.*) Quant à
ceux qui ont eu l'air d'acquiescer au mariage
du gendarme ils escomptaient en tirer avantage, les cousins pour ne pas les nommer,
c'était tout simple, leur commerce remis à
flot, faut-il être bête, voit-on la châtelaine
se mêler de cette affaire, ils les ont eues où
je pense les noces du gendarme et ça leur

venait bien, plus question pour l'époux de fréquenter ses anciennes relations, non qu'il y ait vraiment gagné, sa femme le séquestre ou approchant, mais au moins les apparences sont-elles sauvegardées, la pauvre tante en a failli passer l'arme à gauche de cette mésalliance, on la dit fort diminuée, ne quitte plus sa demeure clouée qu'elle est sur une voiturette d'infirme, eh oui le temps fait son œuvre, chacun subit son sort guère plus relevé que celui du voisin, on baisse de l'aile, on se tasse, on rejoint tout doucement le niveau de la tombe, qu'on soit de sang bleu ou de navet, comme dit le sidi, ti bouffes, ti bouffes pas, ti crèves la même sose.

MORTIN. — Cette comédie a assez duré, je vous prie de sortir. (*Un temps.*) Ou plutôt non. Nous en avons vu d'autres. Je serai le maître du discours, quoi qu'il advienne.

MORTIN. — (*Un temps. Il se râcle la gorge, puis il se lance, sur le ton narratif et alerte.*) Bref ces gens-là on ne sait pas seulement d'où ça sort, le grand-père s'était ins-

tallé au pays venant paraît-il d'Auvergne
où les populations sont à moitié mêlées de
sang nègre et espagnol, des rastaquouères,
c'est voleur, hableur et assassin à l'occasion,
une plaie d'Egypte, le vieux vendait ses pa-
niers de porte en porte et le fils a fait souche
ici dans une maison de garde-chasse inchauf-
fable où la marmaille crevait comme des
mouches, il en est resté trois enfants et deux
filles qui n'ont pas donné grand-chose,
valets de ferme et souillons de vaisselle, le
gendarme est le seul qui s'en soit tiré si sa
profession peut être dite honnête, il s'était
installé au village où il a marié la fille Toton
en premières noces, elle est morte de la poitrine quelques années après lui laissant une
manière d'avorton qu'il a fait élever par
une de ses sœurs, le gosse doit avoir quinze
ans à l'heure qu'il est, son père est resté
veuf une dizaine d'années pour l'an dernier
ou est-ce qu'il y a déjà deux ans tourniquer
autour de la nièce en question qui n'était
déjà plus bien fraîche il faut le dire et un
peu personnelle, elle tenait de son père,
quand on pense à l'éducation qu'elle a reçue

de sa tante principalement, c'était une jeune fille comme une gravure anglaise, soignée et délicate et si douce mais trop gâtée peut-être et le caractère n'y a pas gagné, bref elle s'est laissé mettre le grappin dessus par le gendarme, trop contente d'une part d'avoir encore un soupirant à son âge mais surtout par esprit de contradiction, faire preuve d'indépendance vis-à-vis de sa famille, elle affichait des idées communistes aux urnes, est-ce qu'elle n'avait pas tenté la députation une année histoire de faire scandale uniquement, campagne électorale et tout, fallait voir la clique qui la soutenait, pas la fleur pour sûr, ensuite les bizarreries de comportement venant avec l'âge elle s'est retrouvée seulette et c'est alors qu'elle a convolé, un mois après s'être fait sauter elle passait à la mairie avec son jules, cérémonie civile sans invités avec deux autres couples de cul-terreux qui eux étaient accompagnés de leur famille et de leurs proches. (*Ton normal.*) Ouf !

LUCILE. — Mon oncle, vous êtes superbe !

ERARD. — J'accorde que Monsieur en a fichu un coup.

MORTIN. — (*Il s'enhardit. Ton lyrique.*) Et oui le temps passe et tout ressemble à ce qui fut, des gens en remplacent d'autres dans le même cadre, on s'y tromperait n'étaient les petits détails, une maison neuve à ce carrefour, un cerisier pour un pommier dans un clos, une route traversant la forêt qui n'était qu'un sentier, une poterie abandonnée au profit d'une petite usine mais dans le fond un même état se perpétue résultant du climat tout bonnement, on ne change pas la topographie d'un lieu et la changerait-on que le vent de la mer, telle lumière à telle heure, telle brume du soir ou tel froid du matin aurait tôt fait de tout remettre en place, les gens restent pareils, parlent à la cadence de leurs pères, sourient de la même façon, de sorte que ceux qui disent que l'humanité sera bientôt méconnaissable, la planète invivable, la pollution inévitable et tout le reste se trompent, les sinistres poncifs ont toujours séduit les ignorants.

(*Lucile et Erard applaudissent.*)

MORTIN. — Continuons-nous ?

LUCILE. — Ne tentons pas le diable. Je vais quérir votre bouillon.

(*Exit Lucile.*)

SCENE XV

(*Mortin est affalé sur son siège. Un temps plus long. Ton de grande fatigue.*)

MORTIN. — Quelque chose que nous avions à dire... Je ne me souviens plus. Une angoisse me point.

ERARD. — Que nous avions amorcée ensemble ? (*Un temps.*) Cette scène d'amour avec Mademoiselle ?

MORTIN. — Non, il s'agissait là d'une simple mise en train.

ERARD. — Alors quoi d'autre ?

MORTIN. — Vieille tristesse. Vieille hantise.

ERARD. — Je crois que je vois.

MORTIN. — Dites.

ERARD. — L'âme.

MORTIN. — Ce doit être ça.

ERARD. — Les grandes choses s'abordent par la tangente Monsieur, vous l'avez dit vous-même.

MORTIN. — Il y a tangente et tangente.

ERARD. — Croyez-vous ? Moi non. En élire une c'est déjà éliminer des chances. Toutes doivent être tentées.

MORTIN. — Le désordre ?

ERARD. — Que savons-nous de l'ordre Monsieur ? Rien à voir avec le ménage.

MORTIN. — Vous souvenez-vous de l'histoire du docteur... Jemand ? Toute une existence là sur les planches.

ERARD. — On ne refait pas une chose comme ça. D'ailleurs je ne la connais guère. La marguerite est effeuillée depuis longtemps et pour se souvenir...

MORTIN. — Il le faut pourtant.

ERARD. — Vous voyez bien que j'avais raison. Mais Mademoiselle ne s'y prêtera plus.

MORTIN. — Il ne s'agit pas de ma nièce ni de qui que ce soit.

— 55 —

ERARD. — De vous alors ?

MORTIN. — J'hésite à vous répondre. Je ne m'y retrouve plus.

ERARD. — Moi je vous conseille de foncer comme on dit dans n'importe quoi. Le tiercé, la musique, la sodomie, les voyages, la charité, la bourse, l'astronomie, que sais-je.

MORTIN. — Nous y voilà (*Un temps.*) Je n'ai plus le courage.

(*L'éclairage baisse. Un temps plus long.*)

ERARD. — (*Ton confidentiel et tendre*). Et de fil en aiguille, la conversation s'étant prolongée fort tard, ils étaient près de l'âtre, leur verre de gniole à la main, dans cette maison qu'ils avaient eu tant de mal à construire puis à meubler, à rendre habitable, tous deux vieillis entre ces quatre murs depuis tant d'années qu'ils partagent la même existence, avec leurs rhumatismes et leurs gros ventres, l'œil moins vif et des rides qui les font ressembler aux photos de l'oncle Alfred, l'un tout à coup dit à son frère en regardant le plafond crois-tu tout ça pour en arriver là, qu'est-ce que nous

avions dans l'idée, l'autre n'a pu répondre
et pendant un long moment il aura vu
défiler mille ombres qu'il n'aurait même su
nommer, était-ce du dégoût, du chagrin ou
de la résignation, des bouts de phrases
impossibles à redire remontant d'époques
différentes accumulées dans sa tête et sans
plus de voix à qui les attribuer, toutes
oubliées, évanouies, comme un murmure
atone, sans suite, hâché, qui insiste mal à
propos sur la vanité de la mémoire et l'hor-
reur du temps.

(*Un temps.*)

Ils n'ont rien accompli que d'éphémère mais
comment en parler, qu'est-ce qui est durable, qu'est-ce qui devrait l'être, et le conten-
tement de soi et la conscience lourde et cette
mélasse pourrait-on dire qui les submerge
aux heures creuses de quelle crevasse s'écoule-
t-elle dans leurs caboches mal jointoyées,
l'animal qu'on nomme chimère se promène-
t-il vraiment dans leurs rêves ou son seul
nom comme celui du futur suffit-il à les
troubler.

(*Un temps.*)

Tant de soin à rétablir les faits, quel intérêt, tout disparaît autour de nous, l'amour est fragile, l'amitié guère moins, il en reste après leur éclipse un goût de charogne bien pire que celui des corps, quand l'âme de ceux qu'on aime vient à pourrir il n'y a plus grand espoir de s'en remettre, à croire que nous sommes entre proches liés de telle sorte que le moindre défaut, la moindre faille compromette à jamais l'équilibre du groupe, c'est ainsi que se défont les alliances les mieux établies pour durer et que l'Histoire, ce catalogue des morts, ne se nourrit que de défaites, à d'autres les gloires d'antan, les monuments, les légendes à dormir debout, une seule chose compte, ce jour présent dont nul n'a conscience, reportant à plus tard le soin de le goûter pour n'y trouver alors que l'affreux zéro de l'oubli.

(*Mortin s'est endormi.*)

Acte II

SCENE I

MORTIN. — Ce qui suit, hautement poétique.

Voies et chemins.

S'y engager à la légère.

Eternité d'emblée. Le poumon se dilate. Je respire dit-il.

Temps perdu à des mesquineries. La forme sourd d'ailleurs.

Déjà quelque part, un espace. Conquis sur ce qui ne sera plus nommé.

Des gens. Des fables. Alternances. Attaches qui ne sont plus des rêts.

Embarquons derechef débarqués du cauchemar.

Un pluriel quelconque sans acception de personne.

(*Un temps.*)

Ce vieillard qu'après bien des misères aurait abandonné le sort commun, lui laissant en fief la vieillesse de l'humanité dont il aurait fait ses délices, il apparaît ici et là aux yeux éblouis des voisins, semblable à un paon fatigué, vaniteux et immortel.

(*Un temps.*)

Des enfants remontaient le sentier du bourg chargés de provisions. Du pain, des fruits, du sirop d'orgeat.

Une femme fait la lessive. Boule bleue.

Une chauve-souris zigzague.

Les sorbiers frissonnent à l'approche de la nuit.

(*Un temps. Ton ironique.*)

Où en sommes-nous ? Dans le même mouvement pour aborder disons le thème de la solitude. Fort à la mode.

Alors que les liens entre les hommes se resserrent de par les communications rapides, le gouffre qui se creuse d'un être à l'autre... et caetera. Tout cela particulièrement fécond. De quoi nourrir la parole. Etant entendu que rien dans les mots n'oblige quiconque à penser que nous parlerons de solitude. Tout se recoupe, s'interpénètre sur le plan qui nous intéresse. Telle manifestation en représente une autre ou en figure une troisième, le discours s'interprète dans tous les sens, le texte se lit de même.

Eternité d'emblée.

(*Un temps. Il s'assoit. Ton grave et pénétré.*)

Il y a un pré où paissent des moutons. Le berger est assis au centre sur un tas de pierres. Il ne fait que garder ses bêtes mais on peut dire qu'il joue aussi du pipeau.

Un pipeau est une petite flûte.

Un pipeau est un piège à oiseaux.

Tout autour du pré il y a des bosquets, une haie, des bosquets, une haie, des bosquets, une haie, des bosquets...

Le berger est assis au centre sur un tas de pierres.

Il garde ses bêtes en pensant à autre chose, peut-être à l'amour, ou à la fortune ou à la fuite ou à la mort.

Ce berger qui pensait à la mort.

Il était assis à jouer du pipeau et des oiseaux chantaient dans les feuillages alentour. Des bosquets. Une haie.

On disait qu'il confectionnait des pipeaux pour prendre les oisillons.

Le ciel est pommelé de petits nuages qu'on appelle des moutons.

Il y a sept notes sur la flûte, on entend la mélodie qui paraît sourdre d'ailleurs, pour personne, pour rien, du matin au soir, elle n'égrène pas les heures elle les confond plutôt, il y a de longs intervalles et les nuages font du matin au soir sur le pré les mêmes ombres de courte durée. Les moutons étaient ici, puis là, puis de nouveau ici, puis de nouveau là.

SCENE II

(*Entre Lucile portant la tasse de bouillon.*)

LUCILE. — Je vous apporte votre bouillon.

MORTIN. — (*Ne tient pas compte de la présence de Lucile.*) De l'autre côté de la haie il y avait un autre pré où n'allaient pas les moutons, pierreux, avec en son centre un petit tertre vert. Un puits y était creusé mais l'eau en est tarie.

Le berger se lève et va jusqu'à la haie qu'il franchit, il est dans l'autre pré, il voit la fontaine et dit l'eau est tarie, mes moutons iront boire ailleurs.

LUCILE. — A propos, mon oncle...

MORTIN. — (*Ton normal.*) Quoi, encore vous ?

LUCILE. — Je vous apporte votre bouillon.

MORTIN. — Et vos ragots par le même courrier. Je n'en veux plus, je suis ailleurs, ailleurs.

LUCILE. — Je m'en doute. Vous comptez des moutons ? Excellent somnifère.

MORTIN. — Je vous fais grâce de vos trivialités. Le grand art me préoccupe. Symbolisme, alchimie, haute spéculation.

LUCILE. — Vous renoncez à l'art dramatique ?

MORTIN. — Ignorante ! (*Un temps.*) Au reste ce n'est plus à moi de me justifier. Remportez votre ciguë.

LUCILE. — Vous êtes têtu comme une

mule. Je vous dis qu'il y a là de quoi vous réconforter. Ce breuvage est un élixir de jeunesse. Plein de vitamines, comme ils disent. J'ai mis tout mon soin à le composer et ne sortirai d'ici que vous ne l'ayez bu.

MORTIN. — Oh oh, des menaces ? Encore ?

LUCILE. — Nenni. Un amour éclairé. Mon souci de tous les instants. Tenez, prenez-le.

MORTIN. — L'amour sous forme de bouillon ne m'intéresse que médiocrement. Remportez-le.

LUCILE. — Je n'en ferai rien.

(*Un temps.*)

MORTIN. — (*Autre ton, voir supra.*) De déduction en déduction.

Une image secrète, élément d'un culte oublié, où tout est signe élémentaire.

Les leçons de l'école, mal comprises.

L'âme tournait au centre.

Le berger aurait dit aussi nous serons attentifs à ce seul mouvement.

Sept notes qui lorsqu'on rêve forment dans

l'air du matin telle fleur tourbillonnante, pétales dispersés puis réunis sur l'image ancienne, le berger minuscule est une abeille qui file en direction de la cible, cœur de la rose.

LUCILE. — Qu'est-ce que ce langage fleuri ?

MORTIN. — (*ton normal.*) Le langage de la sagesse et de la science.

LUCILE. — Où puisez-vous tant de merveilles ?

MORTIN. — Là dedans. (*Il prend un livre sur sa table et le feuillette avec Lucile qui s'assoit à côté de lui après avoir posé la tasse.*) C'est beau n'est-ce pas ? Regardez cette image.

LUCILE. — Qu'est-ce que c'est ?

MORTIN. — L'Ouroboros. Le dragon qui se mord la queue.

LUCILE. — Un signe magique ?

MORTIN. — Oui.

LUCILE. — Qui signifie... ?

MORTIN. — Je ne suis pas encore fort avancé dans la connaissance ni dans l'interprétation des signes. Celui-là surtout est d'importance. Je vois en lui une certaine image de la perfection, une réplique du mandala des Orientaux, la plénitude, l'universalité de l'être. Prima materia.

LUCILE. — N'importe quoi, en somme ? Vous vous payez des mots ? (*Elle continue de feuilleter le livre.*) Et celle-ci ?

MORTIN. — Hermès psychopompe, le fils hermaphrodite des deux natures, Sol et Luna.

LUCILE. — Je vois que ce charabia vous enchante. La magie, il ne vous manquait plus que ça.

MORTIN. — L'alchimie, ma nièce. La science des sciences. Tout passe par elle, sort d'elle et y revient pour renaître finalement à l'éternité, l'or enfin jaillissant du creuset de la souffrance.

LUCILE. — Parce qu'en plus vous voilà mystique ?

MORTIN. — L'orthodoxie... l'orthodoxie englobe... enfin tout.
Universelle.

LUCILE. — Catholique, dites-le donc.

MORTIN. — Le mot que je cherchais.

LUCILE. — Assez batifolé. Buvez votre bouillon.

(*Elle lui tend la tasse. Mortin boit en grimaçant.*)

MORTIN. — Il est froid. Dégoûtant. Me rappelle l'odeur de la loge d'une concierge que j'ai connue en... voyons... il y a de ça...

LUCILE. — (*Elle reprend la tasse.*) Beau sujet de méditation. Exercez votre mémoire, je vous le répète. Nul grand homme ici-bas n'a manqué de mémoire. Souvenez-vous-en, si je puis me permettre.

(*Exit Lucile.*)

SCENE III

MORTIN. — (*Ton normal.*) Péronelle.
(*Un temps. Autre ton, voir supra.*)
Enfin débarrassé du lieu.
Car le berger tient dans ses mains le livre

qui l'inspire, orné d'images où il déchiffre les symboles, il a trouvé celle du gardien de moutons au centre de l'aire qu'il affectionne, prairie circonscrite par une haie, un bosquet, une haie, d'où jaillit tout autour du roc où siège le personnage les fontaines essentielles. Le repos est ici, minutieusement transcrit en termes indélébiles.

(*Un temps.*)

Un pipeau est un piège à oiseaux.

On voit sur l'image les branchettes que forment partant du centre, les contours des éléments qui la composent, bêtes, vaguelettes, vêtements, herbes, fleurs, lettres magiques et signes d'astres jusqu'au ciel de la coupole où s'accrochent de petits nuages qu'on appelle moutons.

Ces ramures d'un buisson fictif capturent le regard et la fable se fait jour.

De note en note, de déduction en déduction. Mélodie parallèle à la transcription attentive, dans l'air du matin, pour personne, confondant les heures et les ombres jusqu'au soir indiqué dans le livre par un signe dépouillé des attributs de la nuit.

Nuit mortelle des temps antérieurs, nulle réminiscence.

SCENE IV

(*Entre Erard.*)

ERARD. — Monsieur désire ?

MORTIN. — (*Ton normal.*) Moi ? Rien.

ERARD. — J'ai fort bien entendu le coup de sonnette.

MORTIN. — Vous avez les zizis. Mais pendant que je vous tiens, asseyez-vous là. Une présence si opaque soit-elle m'est nécessaire pour parfaire l'image sonore, piège ineffable où se prendront les oisillons du rêve.

ERARD. — Le charabia de Monsieur n'a d'égal que l'incohérence de ses sautes d'humeur.

MORTIN. — Incohérence !

(*Erard s'assoit. Mortin se lève et tourne autour de lui lentement. Ton, voir supra.*)

MORTIN. — Ce berger qui pensait à l'amour.

On disait qu'il vient d'ailleurs mais il est là depuis que l'herbe y pousse. Un pré où paissent des moutons, prolongements de sa personne.

Comme aussi la haie et le bois, comme le ciel pommelé, comme l'œil qui le regarde.

(*Un temps.*)

Maintenant les oiseaux.

Ils sont dans les feuilles et aussi dans les interstices, et certains se posent sur le bétail, captivés par le chant de la flûte autant que par les branchettes qui les retiennent dans leur réseau.

SCENE V

(*Entre subrepticement Lucile*)

MORTIN. — Penché sur l'image, absorbé par ses détails, le berger ne se doute pas qu'on l'observe et qu'il est pris désormais dans la trame d'une autre figure elle aussi porteuse de sens mais à venir, non encore soumise aux lois du discours, prometteuse de nuits et de jours confondus dans l'espoir insensé de l'œuvre.

LUCILE. — Je suis subjuguée.

MORTIN. — (*sursaute. Ton normal.*) Qui vous autorise ?

LUCILE. — (*elle désigne Erard.*) Nous avons bu l'un et l'autre le reste de votre bouillon-qui-pue. Nous sommes liés désormais tous trois dans l'heur et le malheur.

MORTIN. — Fariboles.

LUCILE. — Eh eh... (*Un temps. Elle prend le ton de Mortin.*) Ce berger qui pensait à la fuite.

Il se lève, il va jusqu'à la haie et voit qu'au-delà du pré jouxtant le sien il y en a un autre puis un autre puis un autre à perte de vue, on se trouve au sommet d'une éminence, aux quatre points cardinaux s'étendent des pâturages et l'œil perçant du berger distingue outre une rivière circulaire éloignée des personnages à leurs travaux agrestes.

MORTIN. — Trahison !

LUCILE. — Il dit que je ne suis pas seul dans ce territoire.

Attirer cette population à l'intérieur du cercle.

On disait qu'il composait une fable à l'aide des signes contemplés dans le livre, mais le sens préexistait aux signes sous forme de poussée, il n'était que de le fixer. Savoir qui le répondant.

En manière d'exorde et pour situer ailleurs les figures à venir malgré le cercle où elles seront piégées. (*Ton normal.*) Et voilà.

MORTIN. — Vous m'assassinez.

ERARD. — Voilà notre récompense. Mais il n'est plus temps de moraliser. Je suis emporté déjà par l'action irréversible. (*A Lucile.*) Qu'est-ce qu'on joue ?

LUCILE. — Nos personnages, jusqu'à ce que mort s'ensuive.

(*On entend off le début du Libera, chanté sur le mode grégorien.*)

Libera me Domine de morte aeterna
In die illa tremenda
Quando caeli movendi sunt et terra.

MORTIN. — Qu'est-ce à dire ?

ERARD. — A évoquer la mort, le cantique surgit.

LUCILE. — Oh que j'aime ça ! Suffit d'un mot ?

ERARD. — Oui.

LUCILE. — (*Elle crie.*) Amour !

(*On entend off un couplet du duo de Mozart.*)

L'amour partout se fait connaître
A tous il sait dicter ses lois
De nos désirs il est le maître
Comment rester sourd à sa voix

LUCILE. — Bravo, bravo ! (*Un temps.*) Plombier !

(*On entend off la chanson du plombier.*)

MORTIN. — Nous sommes perdus.

ERARD. — Vous voilà bien avancé. (*Un temps. Il crie.*) Ragots, ragots !

(*On entend off le début du monologue « Que d'une part le boucher était un âne et que d'autre part la modiste était une dinde » 10 secondes, enregistré. Mortin se bouche les oreilles.*)

LUCILE. — Nous voilà en possession d'un instrument extraordinaire !

MORTIN. — Diabolique.

ERARD. — Pratique.

LUCILE. — Poétique.

MORTIN. — Satanique.

LUCILE. — Tirons-en le meilleur parti. Je me sens des dispositions pour la magie. Mon Dieu que tout cela est excitant ! J'entrevois une tragédie entièrement consacrée au pouvoir de la parole. Que tout y soit prétexte à dégoiser sur n'importe quoi.

MORTIN. — Je vous informe que je me refuse à ce jeu absurde.

ERARD. — Mais puisqu'on vous dit que nous sommes liés désormais. Vous n'y pouvez rien. Le bouillon, Monsieur, le bouillon !

MORTIN. — J'ai eu le pressentiment de votre infamie. (*Un temps.*) Qu'allons-nous devenir ?

(*Noir. Puis Erard et Lucile ont disparu.*)

SCENE VI

MORTIN. — Il faut aller lentement, il faut se reprendre, il faut méditer.

(*Il prend une attitude cabotine de méditation. Ne trouve pas tout de suite la pose. Un temps plus long. Autre ton.*)
Chacun peut être tenté par les ténèbres, c'est un fait. Mais quelle prétention de notre part ! Ce berger bien sûr est l'âme qui veille sur ses passions, mais aussi une figure plus ample que l'âme d'un seul.
Aberration de vouloir nous y frotter !

(*Un temps.*)
Tout pouvoir est donné au poète de susciter des figures immortelles. (*Un temps.*)
Pour combien de caricatures ! Ces avortons de mauvais rêves et de fonds de tiroirs !
Nous aurons loupé tous les coches hormis celui de la mouche.

(*Il s'anime, toujours sur le mode cabotin.*)
Qu'on ne nous parle plus d'espoir !
Ce bonbon dégueulasse nous aura émoussé les papilles de l'âme.

Accrochons-nous à notre désespoir et goûtons au fruit amer de la sagesse immémoriale !

(Un temps.)

Que d'or dans cette petite bouche !

(Prostration. Sur le même mode.)

Notre charité doit être de nous réjouir du bonheur des autres. Le plus dur. Retournement dans l'œuf. Notre nature jalouse qu'il faut briser !

Nous avons beaucoup compté sur l'aide du ciel mais le ciel n'y peut plus rien. Notre ciel est là. *(Il se frappe la poitrine.)* Faire appel à tout ce qui nous reste.

Le drame qui semblait si mal amorcé est au contraire en bonne voie d'achèvement. Des coups de sonde un peu partout pour aboutir à ce ver dans le fruit. Tuer le ver !

(Un temps. Il crie.)

Holà, ma nièce !

(Il se remet en prière dans une autre posture. Un temps plus long.)

Révélation ! Révélation !

SCENE VII

(*Entre Lucile.*)

LUCILE. — Vous me demandez, mon oncle ?

MORTIN. — (*Ton normal.*) Lucile, de grands changements se sont produits en moi. Un esprit supérieur a visité le cabot que je suis et me voilà transformé, pur comme l'enfant qui vient de naître.

LUCILE. — Encore une de vos lubies !

MORTIN. — Nenni douce Lucile, nenni. Un grand bienfait. Mon chemin de Damas. Ecoutez le chant des anges.

(*Un temps.*)

LUCILE. — Je n'entends rien. Qu'est-ce que cette comédie ? (*Un temps.*) Suis-je bête ! Vous vous croyez sous l'influence de votre bouillon ! Rassurez-vous, ce n'était qu'une plaisanterie entre Erard et moi. Vous n'avez pris qu'un bon concentré de bœuf et...

MORTIN. — Je vous arrête. Aucun ingrédient autre que la grâce n'est entré dans la composition de ma nouvelle personne.

Je possède désormais l'innocence et vais en
témoigner sur-le-champ.
D'ailleurs quelqu'un doit arriver céans pour
me donner la réplique. Vous verrez si je
me trompe.

SCENE VIII

(*Entre le plombier.*)
PLOMBIER. — On me demande ?
LUCILE. — Sortez immédiatement.
MORTIN. — Restez. Echangeons les propos qui conviennent entre deux frères que
l'infortune a réunis.
(*Il prend une pose et fait signe au plombier de l'imiter. Celui-ci s'exécute.*)
MORTIN. — (*Autre ton.*) Ils n'ont rien
accompli que d'éphémère mais comment en
parler, qu'est-ce qui est durable, qu'est-ce
qui devrait l'être, l'animal qu'on nomme
chimère se promène-t-il vraiment dans leurs
rêves ou son seul nom comme celui du futur
suffit-il à les troubler.

PLOMBIER. — (*Prend le ton de Mortin.*) Tant de soins à rétablir les faits, quel intérêt, tout disparaît autour de nous, l'amour est fragile, l'amitié guère moins, l'Histoire, ce catalogue des morts, ne se nourrit que de défaites, à d'autres les gloires d'antan, les monuments, les légendes à dormir debout...

LUCILE. — Mais c'est le monologue d'Erard ?

MORTIN. — (*Ton normal.*) Vous le connaissez ?

LUCILE. — Si je le connais ! (*Un temps. Elle parodie Erard.*)
Et de fil en aiguille, la conversation s'étant prolongée fort tard, ils étaient près de l'âtre, leur verre de gniole à la main, dans cette maison qu'ils avaient eu tant de mal à construire, à meubler, à rendre habitable, tous deux vieillis entre ces quatre murs...

MORTIN. — Il n'y a que ce frère que nous n'aurons pas trouvé.

SCENE IX

(*Entre Erard.*)

ERARD. — (*Parodie le plombier.*) En remontant de la canalisation extérieure jusqu'au siphon intérieur, passant par les divers méandres, courbes, coudes, anses, orbes et figures similaires que composent gracieusement le tuyau de vidange comme aussi celui d'évacuation sans compter l'alimentation, la fermentation, la décoction, la segmentation, l'aération, la sublimation, l'émanation...

PLOMBIER. — Je n'ai plus rien à faire dans cette galère.

(*Exit plombier.*)

SCENE X

MORTIN. — Nous avons triomphé de quelque chose. (*Un temps.*) Au travail. Vous n'y avez rien entendu, n'est-ce pas ? Aucune importance. La mécanique a tenu le coup, le moteur tourne de plus belle. De grands paysages vont défiler devant vos yeux, ouvrez-les et n'écoutez plus les commentaires du guide. Vous avez en vous-mêmes d'autres ressorts d'admiration. Que tous se détendent et vous projettent vers le spectacle !

Ouvrez les yeux, ouvrez les yeux !

(*Il s'assoit.*)

Lucile, asseyez-vous à ma gauche. (*Lucile s'assoit.*)

Erard, à ma droite (*Erard idem.*)

(*Un temps.*)

Que voyez-vous ?

LUCILE. — (*Elle écarquille les yeux.*) Peu de chose, mon oncle.

ERARD. — (*Idem.*) Rien, Monsieur.

MORTIN. — Ecoutez-moi.

Les fondations d'abord.

(*Autre ton.*)

Sous le château subsistent les caves de l'ancien couvent où l'on peut accéder soit par les cuisines actuelles...

LUCILE. — (*Impatientée.*) Nous savons cela, mon oncle, nous le savons.

MORTIN. — (*Ton normal.*) De la patience ma nièce, de la patience.
Que voyez-vous, Erard ?

ERARD. — Rien, Monsieur.

MORTIN. — L'image ensuite. (*Autre ton.*)
Un pré où paissent des moutons. Le berger est assis au centre sur un tas de pierres.

LUCILE. — (*Elle se lève, irritée.*) Vous remettez ça ? Je ne marche plus. Nous jouions votre jeu tout à l'heure et vous vous révoltiez. Et maintenant on recommence ? Non. Assez de cette fable. N'est-ce pas, Erard ?

ERARD. — C'est comme Mademoiselle voudra.

LUCILE. — Notre jeu sera le drame ou rien. Je ne me prête plus aux fantaisies du tonton. Voici ce que je propose.

MORTIN. — Proposez Lucile, proposez.

LUCILE. — Vous voilà bien docile.

MORTIN. — Vous m'y obligez.

(*Un temps*).

LUCILE. — Nous sommes sur un navire en perdition. Ou plutôt sur une épave. Le

navire englouti avec son équipage et tous
les passagers. Trois survivants. La tempête
a cessé, le calme revenu avec un peu de soleil
déjà qui éclaire ce tableau minable, vous,
Erard et moi sur cinq mètres carré de planches. Rapprochons-nous.

(*Elle avance sa chaise tout contre Mortin
et prie Erard de faire de même.*)
Nous sommes trempés, grelottants, les che-
veux collés sur la figure. (*Elle se décoiffe.*)
Nous scrutons en vain l'horizon aux quatre
points cardinaux. (*Elle mime la situation.
Mortin et Erard font de même.*) Il n'y a
que l'océan à perte de vue.
Vous y êtes, mon oncle ?

MORTIN. — J'y suis.

LUCILE. — Que dites-vous ?

MORTIN. — Je dis... mon Dieu... Je
dis... Au secours ! à moi !... Qu'allons-nous
devenir ?... J'ai froid, je vais crever, j'ai
peur de l'eau... Que d'eau, que d'eau !

LUCILE. — Trop de références. Dites
mieux que cela.

MORTIN. — Ma vie, ma vie... Petite
Lucile, qu'avons-nous sur ce radeau ? De

quoi manger ? Des boîtes de conserves ?
Des vêtements ? Des allumettes ? Comment
nous organiser ?

LUCILE. — Mieux que cela. Vous avez
faim, vous avez froid, vous avez le mal de
mer, soit. Mais la fièvre qu'en faites-vous ?
La fièvre, la fièvre... Vous divaguez. D'autres besoins que les immédiats. D'autres
aperçus sur d'autres horizons. Coups de
sonde, ce mot que vous aimez. Le désespoir
vous a rasséréné. Le grand tourment de la
fin vous fait voir clair. Dites, dites...

(*Un temps.*)

MORTIN. — (*Autre ton.*) Le bonheur.
Je l'ai connu. Il avait le goût fade des choses
remâchées. Mais quelles délices à comparai-
son de ce sel qui me remplit la bouche !
Je me souviens oui de m'être dit, au temps
de la douce vie quotidienne, que s'il me quittait... Qui il ? Ce frère introuvable. S'il
me quittait je ne lui survivrais pas. Je ne
lui ai pas survécu. Un autre moi s'est em-
paré de ma carcasse et l'a jetée ailleurs...
L'aventure ? La mésaventure de l'âme. Soudain j'en avais une qui n'avait pas servi.

Elle ne sert qu'à se donner. A qui faire don de cette guenille ? J'ai cherché. Rejoint par intermittences des situations malencontreuses, sans noblesse. Que de peine à recouvrer sa dignité. On ne donne rien dans la veulerie. Pas assez cherché. Elle me reste comme une arête au fond de la gorge. Ma vie... C'était donc ça. Un jeu de puzzle pour mandarin paranoïaque. Ou d'alchimie à la petite semaine sur la matière du verbe, me fiant aux alambics d'un jugement corrompu. La décoction sentait la fiente et je m'en faisais gloire... Tirez la chasse. Equilibre par le vide. Une béquille me tenait lieu d'assise.

La pierre du philosophe la voilà enfin dans toute sa pureté. Un espace restreint où se tenir pour exalter quelques minutes futures, ultimes, décisives.

J'y suis devant cette belle cornue. L'océan et la mort vont la remplir. Je n'attends que l'asphyxie pour recueillir la précieuse pépite.

    LUCILE. — Vous êtes en progrès.

A vous, Erard.

    (*Un temps.*)

ERARD. — Il y avait sur le chemin de l'école une petite borne indiquant la direction de la carrière. Presque invisible. Enfouie sous l'herbe. Personne ne connaissait plus cette voie, l'exploitation abandonnée depuis longtemps. Nous prenions mes frères et moi le sentier barré par les ronces et parvenions à une grotte, notre demeure d'élection. Et là nous faisions notre cuisine, chacun selon son goût, chacun son tour, à chacun sa recette. L'un était friand de la soupe aux herbes, un autre d'escargots, un autre de hérissons. Moi c'était l'épinard sauvage et la friture de petits poissons pêchés à la fourchette dans le ruisseau proche.
Il y a bien longtemps.
Les années m'ont séparé de mes frères.
Je n'ai jamais retrouvé avec personne le bonheur de ces jours-là. Aucune compagnie ne me l'a jamais rendu.
Quand je demande si l'amour d'un frère ne vaut pas celui d'une femme on me regarde de travers...

(*Un temps.*)
Chez la plupart des gens la sagesse ne va

pas plus loin que celle des chansons qu'ils entendent dans la rue. J'aimerais en trouver d'autre sorte.

Et devenu vieux, passer mon temps à convier chez moi pour des festins tous ceux que le hasard me ferait rencontrer. Le soir venu je demanderais à chacun combien te dois-je ? Et ils me dépouilleraient sans penser à mal de tout mon reste.

LUCILE. — Naïve profession de foi. Que de candeur ! Où sont nos premières communions...

MORTIN. — Nous attendons votre profession à vous, ma nièce.

LUCILE. — Elle serait moins liliale que les vôtres.

(*Un temps.*)

MORTIN. — Alors ?

LUCILE. — J'hésite à vous répondre. (*Un temps plus long. Autre ton.*) J'ai dû oublier quelque chose...

Ce bouillon oui qui m'aura pris trop de temps. Procédé dilatoire. J'ai confondu mon existence avec ce pot où marinent les choses les plus dégoûtantes, crachats, dents pour-

ries, crottes de singe, poils de pubis et tout le reste pour composition du brevage panacée qui doit plonger le consommateur dans...
Nous en aurons vu des choses depuis l'avènement de cet enfant mystique, ce rêve de théâtre à convertir l'humanité !
Nous aurons ri le temps qu'il faut.
Et puis qu'ont-ils tous à parler de leurs frères ?
Sale engeance. Qu'ils nous fichent la paix avec leurs réminiscences, leurs délices d'avant le temps...

(*Un temps.*)

J'ai dû oublier quelque chose.

(*Un temps.*)

Ce n'est pas l'océan qui nous effraie. Un piège tendu à leur manie. Cette nappe de flotte et de saumur ils y trouvent je ne sais quel reflet de leurs tourments domestiques. Délire des profondeurs ! Endiguer, endiguer. Quel art serait plus efficace que celui qu'inspire notre servitude ? Leur honneur à fourrer dans tout ce qu'ils touchent un chouia de désespoir. Belle infirmité dont nous saurons nous servir.

Ah Monsieur fait de la science avec un cœur pur et l'aide du Très-Haut ? Nous en ferons de plus utile d'autre manière...

(*Un temps.*)

J'ai dû oublier quelque chose.

Suis-je bête, le bouillon !

Agir nuitamment. Sur le sommeil. Cauchemars.

A nous la liberté !

(*Un temps.*)

MORTIN. — Qu'entends-je ?

LUCILE. — Mon oncle ?

MORTIN. — Vous parlez de liberté, douce Lucile ?

LUCILE. — Cela me surprendrait. Oublions notre naufrage et reprenons pied, j'ai du travail.

ERARD. — Et moi je n'ai pas l'habitude de rêvasser, le sommeil me prend sans prévenir.

MORTIN. — Pourtant ces minutes de répit sont bonnes. Je rêvais pendant que parlait Lucile d'une alliance entre nous qui serait indissoluble. Le paradis.

LUCILE. — Sait-on jamais à quoi l'on

rêve ? Qui vous dit que le blanc est blanc ?
Ces délices puériles, vos grands desserts noc-
turnes... Je vous trouve bien crédules quand
cela vous arrange. Ne parler de sa vie que
pour dire qu'on l'a ratée ! Est-ce que je
parle de la mienne ? La douce Lucile est
tout entière en ce qu'elle dit, à chaque instant.

(*Exit Lucile.*)

SCENE XI

ERARD. — Elle me fait peur.

MORTIN. — Rien à craindre. Elle s'est
vidée de son venin, nous aurons encore de
bons moments. Je trouve que tout ça prend
tournure.

ERARD. — Ce n'est pas une femme, c'est
une vipère.

MORTIN. — Non, une idée. Quelque
chose comme l'Eve qui ne nous aurait pas
tenté. Je l'appelle ma nièce pour ne pas l'ap-

peler doublure et toi Mademoiselle pour ne
pas l'appeler...

(*Un temps.*)

ERARD. — Il s'agissait de rendre évi-
dents nos destins sans relief ?

MORTIN. — Oui et non. Je ne suis plus
maître de mes actes.

ERARD. — De quoi alors ?

MORTIN. — Deux ou trois mots-clefs,
toujours les mêmes, qui commencent aussi
à se rendre imprononçables. Il me faudrait
d'autres yeux pour les lire, ils prennent de
la distance. La bouche ne se souvient plus.

ERARD. — Est-ce ainsi qu'on se quitte ?
N'avoir plus l'un pour l'autre l'oreille assez
fine ?

MORTIN. — Je... (*Un temps.*) Non.
J'attends le dénouement avec confiance, la
boucle s'est refermée toute seule, pas eu
besoin de coup de pouce.
Destins sans relief peut-être mais destins
tout de même. Patience, patience.
Voici Lucile.

SCENE XII

(*Entre Lucile portant la tasse de bouillon. Cette dernière scène se parle d'abord au ralenti. Les éclairages changent continuellement.*)

LUCILE. — Je vous apporte votre bouillon.

(*Elle tend la tasse à Mortin qui boit sans sourciller et lui rend la tasse. Lucile la pose sur une chaise.*)

MORTIN. — Tum quia, si aliquid est movens non motum... Ergo anima est corpus.

ERARD. — Au risque de redites nous affirmons que l'âme...

LUCILE. — Face aux outrages du temps, de la nature et de la mort.

MORTIN. — Ce plombier qui demandait à me parler je l'ai laissé faire son travail. Nihil obstat. Que le ciel nous ouvre les yeux, nous savons ce qu'il représente.

ERARD. — Trois ou quatre notions qui fonderaient une action dramatique.

MORTIN. — Si loin si loin...

LUCILE. — de la grisaille quotidienne...

ERARD. — la lumière nous l'attendrons ici...

MORTIN. — contre toute attente...

LUCILE. — contre tout espoir...

ERARD. — contre toute décence.

MORTIN (*Rythme normal*). — Ce cercle sera notre alibi pour une action qui n'a plus besoin de se fixer nulle part. Quatre points cardinaux, trois personnes pour une voix unique et la liberté de ne plus rien dire de naturel. Ténèbres subliminales. Nous aurons raison des pièges de la conscience, cette veuve inconsolable, par un discours panégyrique de nos insuffisances les plus notoires. Dédié au prince, comme il se doit, Hermès omnipotent, matière, véhicule et parachèvement de l'œuvre.

(*Un temps plus long. Strident coup de tonnerre accompagné d'un éclair aveuglant. Mortin vacille. Puis il écarquille les yeux, se les frotte, tourne la tête à droite et à gauche dans un effort désespéré pour voir.*)

MORTIN. — (*Il crie.*) Ma nièce, ma nièce, je n'y vois plus !

(*Un temps.*)

LUCILE. — Qu'avez-vous ? Encore une parabole ?

MORTIN. — (*Idem.*) Mes yeux, Lucile, ces yeux-ci ne voient plus !

(*Lucile s'approche de lui et regarde attentivement ses yeux. Un temps.*)

LUCILE. — (*Ton frivole et détaché.*) C'est la cataracte, mon oncle.

(*L'éclairage baisse lentement jusqu'au noir.*)

Architruc

Cette pièce a été créée à la Comédie de Paris en 1964.

PERSONNAGES

LE ROI.
BAGA, ministre.
LE CUISINIER.
LA MORT.

*Une chambre pauvre meublée avec pré-
tention. A droite un lit à baldaquin, un
fauteuil, une table, une peau d'ours par
terre. Au fond au centre une porte. Au
fond à gauche un paravent fixe qui cache
un cabinet de toilette. A l'extrême gauche
un placard. Au milieu de la pièce une plante
verte dans un cache-pot.*

*Au lever du rideau le roi est assis dans
son fauteuil. Il a sa couronne sur la tête.
Il est en robe de chambre. Il s'inspecte, arrange son col, gratte une petite tache sur
le revers, époussette ses manches, chausse ses
pantoufles. Puis il prend un petit miroir
sur la table, s'y regarde, arrange sa coiffure,
se tire la langue. Grimace. Il repose le miroir et prend ses ciseaux à ongles. Il se
coupe les ongles.*

LE ROI. — (*A Baga invisible derrière le paravent.*) Ça y est ?

VOIX DE BAGA. — Pas tout à fait. Encore une minute.

LE ROI. — Mais qu'est-ce que tu fais ? On a dit des choses simples. Tu te déguises en quoi ?

VOIX DE BAGA. — En ambassadeur. Il faut que ça fasse vrai.

LE ROI. — Vrai ! Tu m'attristes Baga.

VOIX DE BAGA. — Fiche-moi la paix.

(*Un temps. Le roi continue de se couper les ongles. Baga fredonne un air. Le roi fait mine de se lever.*)

LE ROI. — Je vais guigner.

VOIX DE BAGA. — Interdiction de guigner. J'ai bientôt fini.

(*Un temps. On entend Baga tirer la chasse d'eau.*)

LE ROI. — Tu faisais ?

Voix de Baga. — Non c'est du coton.

Le roi. — (*Il crie.*) Pour la millième fois ne rien jeter dans les W.-C. ! On a des factures pharamineuses de débouchage.

Voix de Baga. — S'cusez Majesté.

Le roi. — Evidemment ce n'est pas toi qui paies.

Voix de Baga. — C'est toi peut-être ? Tes sujets ont bon dos.

Le roi. — Ne t'occupe pas de mes sujets et sors de là.

Voix de Baga. — Encore un petit coup... Là.

(*Un temps assez long. Le roi arrange des objets sur la table.*)

Le roi. — Ça y est ?

Voix de Baga. — Ça y est.

(*Baga apparaît vêtu d'un costume ridicule genre mousquetaire. Une cape, une épée, un chapeau à plume. Moustaches postiches. Très maquillé. Il salue cérémonieusement.*)

Baga. — Sire mes hommages.

Le roi. — (*Salue sans se soulever.*)

C'est moi Monsieur. Qu'est-ce que vous voulez ?

BAGA. — On ne dit pas qu'est-ce que vous voulez, on dit nous vous écoutons.

LE ROI. — Nous vous écoutons.

BAGA. — Il est tout de même malheureux qu'après tant d'années tu ne sois pas fichu de savoir les formules. Tu ne fais aucun effort.

LE ROI. — La barbe. On a décidé de se distraire. Continue.

BAGA. — (*Il resalue.*) Sire. Vous n'êtes pas sans savoir que mon maître le roi de Novocordie a des droits à votre succession. La loi instituée par votre arrière-grand-mère

LE ROI. — Tu ne vas pas remettre ça non ? Sous prétexte que tu es déguisé. Je t'interdis de me parler de ça.

BAGA. — Bon bon. Je recommence. (*Il resalue.*) Sire. Vous n'êtes pas sans savoir

LE ROI. — Tu pourrais varier la formule.

BAGA. — Eh bien trouve quelque chose toi.

LE ROI. — (*Il se lève, il salue en sou-
levant sa couronne.*) Sire. Votre Majesté
aime la bonne chère. Nous nous permet-
tons de lui proposer un menu pour ce soir.

BAGA. — Un ambassadeur te proposer
un menu !

LE ROI. — Pourquoi pas ? Un menu ça
fait toujours plaisir. Ça prédispose à la
bonté, à l'équité, à la

BAGA. — Et ensuite qu'est-ce qu'il te
demande ?

LE ROI. — La main de ma fille pour
son roi.

BAGA. — Ça alors !

LE ROI. — Quoi, ça te fait mal ?

BAGA. — Non mais il faudrait faire une
fille d'abord.

LE ROI. — Est-ce qu'on joue oui ou
non ?

BAGA. — Il faut que ça reste vraisemblable.

LE ROI. — Vraisemblable ! Tu me fais
pitié.

BAGA. — Et si je ne faisais que dormir

comme toi qui est-ce qui lèverait les impôts ? Tu dépenses tout pour bouffer.

LE ROI. — Parce que je n'ai rien d'autre à faire. Je ne compte plus sur ta conversation. (*Un temps.*) Qu'est-ce qu'on mange aujourd'hui ?

BAGA. — On a dit une heure de détente. Ce qui est dit est dit. Je continue. (*Il resalue.*) Sire. Vous n'êtes pas sans savoir

LE ROI. — Encore ?

BAGA. — que mon maître désire se marier. Par les bruits qui courent nous savons que votre fille est la plus belle fille de toutes les filles de votre royaume.

LE ROI. — Tiens ça me fait penser que je n'ai pas arrosé Fifille.

(*Il se lève, prend dans un coin un petit arrosoir et va le remplir au cabinet de toilette. Baga pendant ce temps s'assoit et réfléchit. Il fait des calculs, comptant sur ses doigts.*)

LE ROI. — (*Il sort du cabinet avec son arrosoir et arrose la plante.*) Ne jamais oublier d'arroser Fifille. C'est une plante rare

BAGA. — (*Il récite.*) qui me vient de ma tante Estelle qui a coûté mille roupies et qui est femelle elle a quatre feuilles poilues une tige et un sexe qui ne se voit pas elle est

LE ROI. — Continue.

BAGA. — elle est très délicate on la rentre en hiver

LE ROI. — Pas ça. L'ambassade.

BAGA. — (*Il se lève, resalue.*) Sire. Vous n'êtes pas sans savoir que mon

LE ROI. — (*Il pose bruyamment son arrosoir sur la table.*) La barbe ! Trouve autre chose.

BAGA. — Je n'ai plus d'idées. Tu m'indisposes. (*Un temps.*) Dans le fond j'aimais mieux ta mère.

LE ROI. — Tu couchais avec elle hein ?

BAGA. — Un petit peu. Pas formidable. Mais au moins dans le gouvernement elle me laissait de l'initiative. Si tu as encore ta couronne sur le crâne n'oublie pas que c'est grâce à moi.

LE ROI. — (*Il s'est rassis.*) Ce qu'il ne faut pas entendre !

BAGA. — (*Il arpente la pièce.*) Parfaitement. J'ai déjoué des complots moi. Et j'ai fait la guerre du Chanchèze. Et j'ai signé un traité de commerce.

LE ROI. — Ton chef-d'œuvre ! Parlons-en ! On n'a plus rien à se mettre sous la dent.

BAGA. — Il faut savoir se restreindre. Intérêt supérieur. (*Un temps.*) Du reste tu ne fais pas pitié.

LE ROI. — Continue.

BAGA. — Tu es gras comme un moine, tu prends cinq

LE ROI. — Pas ça. L'ambassade.

BAGA. — Je t'ai dit que je n'ai plus d'idée.

LE ROI. — Eh bien discutons du menu.

BAGA. — Non je vais me déguiser en autre chose.

LE ROI. — Si on change tout le temps on ne peut pas faire durer le plaisir.

BAGA. — On n'a pas parlé de plaisir

on a parlé de récréation. Si en plus on doit avoir du plaisir...

LE ROI. — Oh Monsieur fait la gueule ?

BAGA. — Tu me fatigues. Il y a beau temps

LE ROI. — Ne te fatigues pas.

BAGA. — Je vais me redéguiser.

LE ROI. — Va te redéguiser.

(*Baga retourne dans le cabinet. Le roi ne sait pas que faire. Il prend une lettre sur la table, il la lit à voix basse, donne des signes d'impatience, la repose, prend le miroir, le repose. Un temps long. Puis il se lève et s'approche du cabinet.*)

LE ROI. — Je guigne.

VOIX DE BAGA. — Non ! C'est une surprise.

LE ROI. — Ça ressemble à quoi ?

VOIX DE BAGA. — Tu verras. Lis ta lettre d'amour.

LE ROI. — Ça m'embête. (*Il retourne vers la table. Il se baisse et caresse la peau d'ours par terre.*) Mon pauvre papa. Mon pauvre papa qui chassait l'ours. Il avait des ennuis domestiques. Est-ce qu'il s'embê-

tait moins que moi ? (*Un temps.*) Qu'est-
ce qu'on pourrait inventer ? (*A Baga.*) On
va voir les cuisines ? (*Un temps.*) Je peux
prendre un pernod ?

VOIX DE BAGA. — Interdit.

LE ROI. — Pour une fois tu ne veux
pas ? Rien qu'une fois.

VOIX DE BAGA. — Non et non.

LE ROI. — Rien qu'une fois en t'attendant !

VOIX DE BAGA. — Eh bien pour une
fois d'accord. Mais seulement le fond du
verre.

LE ROI. — Enfin ! (*Il bat des mains. Il
va vers le placard, l'ouvre, en sort une bouteille et un verre et va se servir sur la table.
Avec l'eau de l'arrosoir.*) Tu en veux ?

VOIX DE BAGA. — Plus tard.

LE ROI. — (*Il s'assoit. Il boit.*) Mmm
c'est bon. (*Il lève son verre.*) Tu te rappelles quand on était à Fantoine ?

VOIX DE BAGA. — Quoi ?

LE ROI. — Quand on était à Fantoine
ces séances de pernod ! On y retourne ?

Voix de Baga. — Ce n'est pas encore les vacances.

Le Roi. — On pourrait quand même s'offrir ça.

Voix de Baga. — Le gouvernement d'abord. Et puis fiche-moi la paix, je ne peux pas faire deux choses à la fois.

Le Roi. — Tu n'as pas besoin de répondre. (*Il continue de boire. Un peu gris il se lève, verre en main, et mime l'ambassadeur.*) Sire, veuillez agréer l'expression de mes salutations distinguées. (*Un temps. A Baga.*) C'est correct ? (*Un temps.*) Je te parle.

Voix de Baga. — La barbe.

Le Roi. — (*Continuant son jeu.*) Mes hommages à mademoiselle votre fille. (*Il rit. Un temps. A Baga.*) C'est de nouveau un ambassadeur ? (*Un temps.*) Je te parle ! (*Un temps.*) C'est comme quoi ? Un roi ? Un cheval ? (*Un temps.*) Oh je sais. Un cuisinier. (*Tout en parlant il s'est approché du cabinet.*)

Voix de Baga. — Pas guigner !

Le Roi. — Si c'est ça ta comédie, tu es

toujours dans les coulisses. A trois j'entre.
Une... deux...

(*Baga sort du cabinet. Il est déguisé en
femme, mode 1900. Robe à pouf, grand
chapeau, voilette, boa, ombrelle. Il déambule en minaudant.*)

LE ROI. — Pas mal ! On dirait la tante
Estelle.

(*Tout en imitant Baga le roi va s'as-
soir dans le fauteuil.*)

BAGA. — (*Voix de femme.*) Mon cher
neveu j'adore votre chambre ! C'est d'un
goût, d'un intime ! Et quel confort mon
cher ! Cabinet de toilette et tout. Vous
avez hérité de mon goût du luxe, Architruc.

LE ROI. — Non décidément elle avait
un moins gros ventre que toi.

BAGA. — (*Voix de femme.*) Oh je vois
que vous avez encore ma plante ! C'est
bien, ça.

LE ROI. — Oui ma tante. Elle s'appelle
Fifille. Je l'arrose tous les jours.

BAGA. — (*Voix de femme.*) Vous avez
raison mon neveu. Je la tenais d'une cou-

sine nègre qui est morte la pauvre. Elle
m'a légué cette plante et son porte-mon-
naie où il y avait cinq roupies. Mais...
vous l'avez connue au fait ?

LE ROI. — Oui. Une petite boulotte.

BAGA. — (*Voix de femme.*) Non. Une
grande hommasse.

LE ROI. — Oui quoi.

BAGA. — (*Voix de femme.*) Voyons
mon neveu. Parlez-moi de votre gouvernement. Parlez-moi de votre ministre Baga.

LE ROI. — Un vrai con, ma tante.

BAGA. — (*Voix de femme.*) Architruc
vous êtes impardonnable ! Me parler ainsi
à moi ! Savez-vous que j'aurais pu être
votre mère ?

LE ROI. — Comment ça ma tante ?

BAGA. — (*Voix de femme.*) Votre père
m'a aimée avant. Nous étions intimes. Il
a dû me quitter pour épouser mon aînée.
Cette gourde

LE ROI. — Je vous interdis d'insulter
la mémoire de maman.

BAGA. — (*Voix de femme.*) Bon bon.
(*Un temps.*) Mais... je ne vois pas Baga ?

LE ROI. — Il est au cabinet, ma tante.

BAGA. — (*Voix de femme.*) Vraiment ? Très drôle. Je vois que vous faites des progrès en conversation. (*Un temps.*) Au fait le roi de Novocordie

LE ROI. — Tu as compris ce que je t'ai dit ? (*Un temps.*) Et comment va mon oncle, ma tante ?

BAGA. — (*Voix de femme.*) Le marquis est très très fatigué. Ses terres sont une charge trop lourde. Je... Mais qu'est-ce que je vois ? Du pernod ?

LE ROI. — (*Il se lève, empressé.*) Vous en voulez ? Je vous donne un verre. (*Il va prendre un verre dans le placard puis il le remplit et veut remplir le sien.*)

BAGA. — (*Voix normale.*) Attention !

LE ROI. — Plus qu'un ! Le dernier !

BAGA. — (*Il lui arrache des mains la bouteille. Voix normale.*) C'est inutile.

LE ROI. — Eh bien je ne joue plus. (*Il tourne le dos à Baga.*)

BAGA. — (*Voix normale.*) Parfait. Je voulais te parler de certains bénéfices réalisés dans le Chanchèze

Le roi. — (*Il se retourne brusquement.*) C'est vrai ? Oh dis-moi !

Baga. — (*Voix normale.*) Si tu continues.

Le roi. — Je continue.

Baga. — (*Voix de femme.*) Dites-moi mon neveu que pensez-vous de votre ministre ?

Le roi. — C'est un excellent ministre, ma tante. (*Baga approuve de la tête.*) Je l'aime beaucoup. Nous nous entendons très bien. (*Baga idem.*) Mais il s'entête à m'interdire le pernod. Aucune raison à ça.

Baga. — (*Voix de femme.*) Vraiment ? Il a probablement une raison. Votre foie peut-être ? Non ? Alors vos reins ? Oui ça doit être vos reins. Que voulez-vous Architruc nous vieillissons tous. (*Un temps.*) Vous disiez donc excellent ministre ?

Le roi. — Excellent. Tu me diras pour ces bénéfices ?

Baga. — (*Voix normale.*) Plus tard. (*Un temps. Il cherche des poses. Voix normale.*) Maintenant je te fais du gringue. On continue. (*Il s'approche du roi et lui fait des agaceries. Voix de femme.*) **Oh qu'on avait un joli petit nez !**

LE ROI. — Idiot !

BAGA. — (*Voix de femme.*) Et de jolis petits yeux ! Et de beaux petits biceps ! (*Il le chatouille. Le roi rit.*)

LE ROI. — Ça suffit.

BAGA. — (*Voix de femme.*) Et de belles petites cuisses ! (*Un temps. Voix normale.*) Mais dis quelque chose ! Fais-moi quelque chose ! (*Il se caresse les seins et la croupe. Voix de femme.*) Venez chéri, je ne peux plus attendre. (*Il le prend par le bras et veut le tirer vers le lit.*)

LE ROI. — Aïe tu me fais mal. Ce n'est pas drôle.

BAGA. — (*Voix normale.*) Bon bon.

LE ROI. — Dis-moi pour ces bénéfices.

BAGA. — (*Voix normale.*) Je ne dirai rien.

LE ROI. — Et si je continue de jouer tu me diras ? Mais pas à l'amour.

BAGA. — (*Voix normale.*) Ce que tu peux faire puritain ! (*Il regarde sa montre.*)

Bon d'accord. On a encore une demi-heure.
Je vais me redéguiser.

LE ROI. — En quoi ?

BAGA. — En Dieu.

LE ROI. — Mâtin !

BAGA. — (*Il va vers le cabinet.*) At-
tends-moi et ne guigne pas. (*Il entre dans
le cabinet.*)

LE ROI. — Dieu le père ou Dieu le fils ?

VOIX DE BAGA. — Tu verras.

(*Le roi reprend machinalement la lettre
sur la table, la relit, lève la tête, se gratte,
hausse les épaules. Un temps.*)

LE ROI. — Le gouvernement d'abord !
Quel gouvernement ? Chacun pour soi. (*A
Baga.*) Est-ce que tu te fiches de moi ?

VOIX DE BAGA. — Moi ? Pourquoi ?

LE ROI. — Quel gouvernement ? Quel
gouvernement ?

VOIX DE BAGA. — Tes sujets pardi.

LE ROI. — Mes sujets ! Tu les as vus ?

VOIX DE BAGA. — Je les sens. Ça me
suffit.

LE ROI. — Quoi ?

VOIX DE BAGA. — Rien.

LE ROI. — C'est vrai qu'ils paient encore ? (*Un temps.*) On a bonne mine à nos âges. (*Un temps.*) Des gros bénéfices ? (*A lui-même.*) Et puis des bénéfices pourquoi faire ? (*A Baga.*) Ça y est ?

VOIX DE BAGA. — Ça y est.

(*Baga sort du cabinet. Il est vêtu en juge. L'air très digne. Il fronce le sourcil.*)

LE ROI. — Qu'est-ce que c'est ? Tu as changé ?

BAGA. — C'est le jugement dernier. Je suis le juge suprême qui va te condamner.

LE ROI. — Mince. Je pensais que ce serait plus drôle.

BAGA. — On ne s'amuse pas avec Dieu. On écoute sa sentence de mort. Agenouille-toi.

LE ROI. — Pourquoi puisque je suis condamné ?

BAGA. — Pour obéir. A genoux.

LE ROI. — Je suis fatigué. Et puis je n'aime pas les condamnations.

BAGA. — Tu es minable.

LE ROI. — Possible. Je n'ai plus envie de m'amuser.

(*On frappe à la porte.*)

BAGA. — Entrez !

(*Entre le cuisiner, son bonnet à la main.*)

LE CUISINIER. — Sa Majesté est servie.

LE ROI. — Quoi ? Et ma barbe ?

LE CUISINIER. — Monsieur Baga avait dit

LE ROI. — Qui c'est qui commande ici ?

BAGA. — J'avais dit de servir quand ce serait prêt.

LE ROI. — Et moi est-ce que je suis prêt ?

BAGA. — Pour une fois tu n'as pas besoin de te raser.

LE ROI. — Et l'étiquette ? Et le gouvernement ? (*Il fait signe au cuisiner de s'en aller.*) Allez !

(*Le cuisinier sort.*)

LE ROI. — C'est tout de même raide ! Je ne peux plus rien faire ! Je suis l'esclave de mes gens ! On me donne des ordres !

BAGA. — Calme-toi. Je vais chercher le plat à barbe.

LE ROI. — Tu iras si je te demande.

BAGA. — Bon bon.

LE ROI. — Va chercher le plat à barbe.

(*Baga va dans le cabinet. Toujours vêtu en juge il en ressort avec le plat à barbe qu'il pose sur la table. Le roi paraît très las dans son fauteuil.*)

BAGA. — Ça ne va pas ?

LE ROI. — Pas très bien. Je voudrais me coucher.

BAGA. — Tu veux que j'appelle le docteur ?

LE ROI. — Non. (*Un temps.*) Je crois que j'ai ma maladie.

BAGA. — Il ne manquait plus que ça.

LE ROI. — (*Rêveur.*) Baga, tu y crois au gouvernement ?

BAGA. — Si j'y crois ? Qu'est-ce que tu as ?

LE ROI. — Ma maladie. (*Un temps.*) Pourquoi ne pas abdiquer ? On irait vivre à la campagne. On n'aurait rien à faire. Ces sujets compliquent tout. Ces puants dans leurs trous. Tu les as vus ?

BAGA. — Je les sens je te dis, leur argent empeste.

LE ROI. — (*Il désigne de la tête le coin gauche de la pièce.*) Tu te rappelles quand le lit était là ? Je crois que j'aimais mieux.

BAGA. — (*Il fait un geste de résignation et s'assoit sur le lit.*) C'est bon, fais ta maladie.

LE ROI. — Oui je crois que j'aimais mieux. C'était plus gai.

BAGA. — C'est nous qui étions plus gais

LE ROI. — Tu crois ?

BAGA. — Depuis le temps qu'on n'a rien fait. Même pas une petite guerre. On se rouille.

LE ROI. — On a tellement changé ? (*Un temps.*) Baga j'ai envie de te parler de mon enfance.

BAGA. — (*Consterné.*) Oh non je t'en supplie !

LE ROI. — Si, j'ai envie. (*Un temps. Baga hausse les épaules.*) Je ne sais pas par où commencer.

BAGA. — Par le commencement.

LE ROI. — (*Un temps. Il réfléchit.*)

C'est drôle qu'elles soient toutes les mêmes.
(*Un temps.*) Je voudrais te dire la mienne
mais pas comme d'habitude. Je voudrais
changer un peu. (*Un temps.*) Je voudrais...
Je voudrais te parler de mon âme.

BAGA. — Jésus !

LE ROI. — Te parler de mon âme oui...
Et de la vie.

BAGA. — Quelle vie ?

LE ROI. — La vie... la vie.

BAGA. — Il y a ta vie. Ce que tu fais,
ce que tu as fait, ton gouvernement, tes

LE ROI. — Rien que ça ?

BAGA. — Comment rien que ça ?

LE ROI. — Ce n'est pas possible. Alors
je n'ai pas de vie ?

BAGA. — Si tu crois que j'en ai une !
J'ai ces machins à te faire signer et je commande le menu.

LE ROI. — Tu n'aimes pas ?

BAGA. — Je ne sais plus.

LE ROI. — Moi non plus. (*Un temps.*)
Des fois je me dis qu'on pourrait changer.

BAGA. — Changer quoi ?

LE ROI. — Je ne sais pas... Remettre le lit là-bas, recouvrir les fauteuils...

BAGA. — Voyons Archi ce n'est pas des changements ça.

LE ROI. — Qu'est-ce que c'est des changements ?

BAGA. — Je ne sais pas moi... Faire des voyages ?

LE ROI. — (*Il réagit soudain.*) Baga ce serait formidable ! On part en voyage !

BAGA. — Où ?

LE ROI. — N'importe où ! On fait nos valises, on nettoie le vieux taxi de papa et on part !

BAGA. — Où, je te demande.

LE ROI. — Eh bien... Dans le Chanchèze par exemple.

BAGA. — Le Chanchèze ? Une vallée pleine de rats ? Qu'est-ce que tu veux qu'on y fasse ?

LE ROI. — Eh bien... En Dualie ?

BAGA. — Pour aller nous geler ? Très peu pour moi.

LE ROI. — Eh bien... Oh je sais. On va

à Estellouse. Les travaux sont finis hein ?

BAGA. — J'y suis allé la semaine dernière. Le château est tout à refaire. Les plafonds sont tombés et il y a de l'eau dans les caves.

LE ROI. — Déjà ? Mais ils ont travaillé comme des cochons ! Quand ont-ils fini les travaux ? Tu ne m'as rien dit ?

BAGA. — Mon pauvre vieux. Il y a un siècle que c'est fini. Ça a eu le temps de moisir.

LE ROI. — Un siècle ! J'ai oublié ce château pendant un siècle !

BAGA. — C'est ça l'oubli. (*Un temps. Il se lève et aide le roi.*) Ecoute, couche-toi ça ira mieux.

(*Le roi s'étend sur le lit. Baga ramène sur lui une couverture puis s'assoit dans le fauteuil.*)

LE ROI. — Tu te souviens quand je te posais des questions ? (*Un temps.*) Je te parle.

BAGA. — Hein ?

LE ROI. — Quand je te posais des questions sur la nature.

BAGA. — Oh écoute non, j'aime encore mieux que tu me parles de ton enfance.

LE ROI. — Je ne me souviens plus de rien. (*Un temps.*) La nature ça sert à quoi ?

BAGA. — A nous gouverner.

LE ROI. — Encore ? La mer, les arbres, les montagnes ? (*Un temps.*) Moi je trouve le contraire. Du reste ce que j'en dis... Non je me souviens je me disais que les paysages je les donnerais tous pour une chambre sur cour. (*Un temps.*) Pourvu qu'il y ait quelqu'un dedans.

BAGA. — (*Il fait un geste circulaire et se désigne aussi.*) Eh bien voilà.

LE ROI. — Pas toi Baga... je veux dire...

BAGA. — Ne te donne pas cette peine j'ai compris.

LE ROI. — Non ce n'est pas ce que je veux dire. Ce que je veux dire c'est quelqu'un

BAGA. — Quelqu'un que tu aimes ?

LE ROI. — Tu sais bien que je t'aime Baga.

BAGA. — Alors quoi ?

LE ROI. — Alors rien.

BAGA. — Une bonne femme avec qui tu fasses l'amour ?

LE ROI. — Je

BAGA. — Dans une chambre sur cour faire l'amour tout le temps ? Tu crois qu'on n'en a pas marre au bout de trois jours ?

LE ROI. — Eh bien disons une chambre avec un balcon qui donne sur la mer.

BAGA. — Ça fait deux jours de plus. Et après ?

LE ROI. — Peut-être que ça fait toute la vie ? Qu'en sais-tu ?

BAGA. — Ce que j'en sais ? J'en sais que depuis un siècle on en a marre ensemble.

LE ROI. — Mais puisqu'on n'a pas fait

BAGA. — C'est exactement la même chose.

LE ROI. — Tu crois ?

BAGA. — Sûr. (*Un temps.*) On a besoin de changement

LE ROI. — Ah tu vois.

BAGA. — de changement quand on y croit encore. Ensuite ça ne sert plus à rien.

LE ROI. — (*Rêveur.*) Une chambre sur cour...

BAGA. — Si je te disais moi j'aurais voulu être ministre ?

LE ROI. — Ministre ? Tu l'es.

BAGA. — Eh bien tu vois.

LE ROI. — Oh tu me fatigues. (*Un temps.*) Je suis fatigué. Je ne suis pas très bien.

BAGA. — Tu veux dormir ?

LE ROI. — Non merci.

BAGA. — Tu veux bouffer ?

LE ROI. — Non merci.

BAGA. — Tu veux que je te raconte une histoire ?

LE ROI. — Tu en sais ?

BAGA. — Je vais essayer. (*Un temps. Il cherche.*) Un jour Dieu se dit... Non. (*Un temps.*) Un jour il y avait un roi et son ministre.

LE ROI. — Je te vois venir.

BAGA. — Ne m'interromps pas. (*Un temps.*) Le roi ne savait pas que faire et le ministre non plus. Ils cherchaient, ils ne trouvaient pas. Alors Dieu se dit il faut

que je fasse quelque chose pour ces gens.
Il cherche, il ne trouve pas. Il appelle son
conseiller le serpent. Il lui dit tu vois ce
roi et ce ministre ? Je voudrais leur donner
des idées. Trouve quelque chose. Le serpent

LE ROI. — Pourquoi un serpent ?

BAGA. — Ne m'interromps pas. Le serpent va chercher son sac et l'apporte à
Dieu. Il lui dit tiens vas-y. Qu'est-ce que
je fais ? dit Dieu. Tu tires quelque chose
du sac. N'importe quoi ? Oui la première
chose qui te tombe sous la main. Dieu
plonge la main dans le sac et en retire...

LE ROI. — C'est symbolique ?

BAGA. — et en retire... Attends que je
me rappelle. (*Un temps.*) Ah oui. Un enfant. Et Dieu dit au serpent ce roi s'embête parce qu'il est tout seul et il se fait
du souci pour sa succession. Cet enfant est
une bonne idée. Je le lui envoie. Ça l'oc-
cupera. Et il lance l'enfant sur la terre.

LE ROI. — C'est symbolique ?

BAGA. — Le gosse tombe sur le lit du
roi qui se réveille et qui dit qu'est-ce que

c'est que ce moufflet ? Son ministre lui dit
Sire c'est un don du ciel, il faut l'adopter.

LE ROI. — A quoi tu joues ?

BAGA. — Ne m'interromps pas. Le roi
dit d'accord, comment on l'appelle ? Le
ministre réfléchit et dit Fiston, on va lui
donner une éducation bourgeoise et il te
succédera. Le roi est enchanté, il oublie ses
soucis, il ne s'occupe plus que de son fils.
Le fils grandit, devient un personnage, ré-
jouit la vieillesse de son père qui peut mourir tranquille.

LE ROI. — Charmant. (*Un temps.*)
Ainsi tu me conseilles de me marier ?

BAGA. — Non.

LE ROI. — Alors de faire un fils ?

BAGA. — Non. C'est des bêtes à chagrin. Mais tu pourrais en adopter un. J'y
pense depuis longtemps. Ta succession

LE ROI. — Et où le prendre ?

BAGA. — A l'orphelinat.

LE ROI. — Et quelle garantie que ce ne
sera pas un vaurien ?

BAGA. — Il faut choisir entre ça et la
succession au roi de Novocordie.

LE ROI. — Jamais ! J'aime mieux l'adoption. (*Un temps.*) Mais qu'est-ce qui te prend tout d'un coup ? Tu as peur que je lève l'ancre ?

BAGA. — Non je pense à ton bien-être, à ta tranquillité.

LE ROI. — Et que tu t'embêtes avec moi et qu'un fils t'occuperait.

BAGA. — Exact.

LE ROI. — Tu n'es pas gentil Baga.

BAGA. — Je suis ministre Sire.

LE ROI. — (*Un temps.*) Ça me fait peur un fils. Pour l'élever. (*Un temps.*) Tu ne voudrais pas qu'il soit aussi à toi ? Un petit peu ?

BAGA. — Je serai son parrain. Nous lui mettrons un lit ici et ses petites affaires dans le placard. Et je lui donnerai des leçons de gouvernement.

LE ROI. — Il aura quel âge ?

BAGA. — Sept ans. Ça ne pisse plus au lit et ça comprend ce qu'on leur dit.

LE ROI. — Je parie que tu as déjà fait des démarches sans me dire.

BAGA. — Non mais ça me tracassait.

(*Un temps.*) Si tu es mieux demain nous irons en acheter un à l'orphelinat.

LE ROI. — C'est combien ?

BAGA. — Dans les mille roupies. Ça dépend.

LE ROI. — Tu as des sous ?

BAGA. — On puisera dans la caisse de l'Etat.

LE ROI. — Il y a combien ?

(*Baga tire de dessous le lit une caisse. Il fouille dedans et compte.*)

BAGA. — Mille... deux mille... trois mille... cinq mille. Cinq mille roupies.

LE ROI. — Inouï ! On pourra aussi reconstruire Estellouse, ce sera ma résidence d'été ! (*Un temps.*) Oh je me sens mieux ! Je peux me lever ?

BAGA. — Non. Demain.

LE ROI. — Qu'est-ce qu'on fait en attendant ?

BAGA. — Ce qu'on fait ? (*Un temps.*) On pourrait répéter.

LE ROI. — Répéter quoi ?

BAGA. — Ton rôle de père. Comment t'y prendras-tu ?

LE ROI. — C'est vrai ça.

BAGA. — Oui on va répéter. Je vais faire le fiston et toi le père.

LE ROI. — Adoptif.

BAGA. — Adoptif. (*Il se lève.*) Voilà. On dit que je reviens du jardin. A trottinette. J'entre et je tourne dans la chambre. (*Il imite un enfant à trottinette et tourne autour de la pièce. Voix niaise d'enfant.*) Bonjour papa ! Je l'aime bien ma nouvelle trottinette !

LE ROI. — Oh oh, qui te l'a donnée ?

BAGA. — (*Voix d'enfant.*) C'est toi. J'aurais voulu une moto.

LE ROI. — Une moto à ton âge ? Tu es fou voyons.

BAGA. — (*Voix d'enfant.*) Je ne suis plus un gamin, papa. J'ai sept ans.

LE ROI. — Tu crois qu'à sept ans j'avais une moto ?

BAGA. — (*Voix d'enfant.*) Bien sûr que non ! Tu étais trop empoté.

LE ROI. — Comment parles-tu à ton père ?

BAGA. — (*Voix d'enfant.*) Tu me donneras une moto quand j'aurai huit ans ?

LE ROI. — Pas avant quinze ans.

BAGA. — J'en demanderai une à parrain.

LE ROI. — Qui est ton parrain ?

BAGA. — (*Voix d'enfant.*) Tu ne te souviens même pas ! C'est Baga.

LE ROI. — Et qu'est-ce qu'il t'a appris aujourd'hui ton parrain ?

BAGA. — (*Voix d'enfant. Il tourne toujours.*) Les divisions.

LE ROI. — Oh oh ! (*Un temps.*) Combien font sept divisés par trois ?

BAGA. — (*Voix d'enfant.*) Ça fait... ça fait... Huit.

LE ROI. — Mais non voyons. Ça fait... ça fait... deux virgule trois trois trois trois.

BAGA. — (*Voix d'enfant.*) Combien de fois ?

LE ROI. — A l'infini.

BAGA. — (*Voix d'enfant.*) C'est impossible.

LE ROI. — Comment c'est impossible ?

BAGA. — (*Voix d'enfant.*) C'est seulement le bon Dieu qui est infini.

LE ROI. — Mais

BAGA. — (*Voix normale. Essoufflé. Il tourne toujours.*) Tu ne pourrais pas me dire de m'arrêter ? Ça ne te fatigue pas ?

LE ROI. — Si. Fiston arrête-toi quand je te parle.

BAGA. — (*Voix d'enfant. Continue de tourner.*) Non je fais le tour de France.

LE ROI. — Arrête-toi tu entends ?

BAGA. — (*Voix d'enfant.*) Non je suis en pleine étape.

LE ROI. — Alors maintenant qu'est-ce que je dis ?

BAGA. — (*Voix normale.*) Tu me prives de dessert.

LE ROI. — Fiston tu seras privé de dessert.

BAGA. — (*Voix d'enfant.*) Qu'est-ce qu'il y a pour le dessert ?

LE ROI. — Euh... Qu'est-ce qu'il y a pour le dessert ?

BAGA. — (*Voix d'enfant.*) Je ne sais pas, je te demande.

LE ROI. — C'est à toi que je demande !

BAGA. — (*Voix d'enfant.*) Mais je ne sais pas papa !

LE ROI. — A toi Baga bougre d'âne !

BAGA. — (*Voix normale. Tourne toujours.*) Et supposons que je ne sois pas là ?

LE ROI. — Comment que tu ne sois pas là ?

BAGA. — (*Voix normale.*) Que je sois aux cuisines. Qu'est-ce que tu lui réponds ?

LE ROI. — Va voir aux cuisines.

BAGA. — (*Voix normale.*) Jolis principes d'éducation !

LE ROI. — Alors qu'est-ce que je dis ?

BAGA. — (*Voix normale.*) Tu dis pas de dessert tu entends ?

LE ROI. — Pas de dessert tu entends ?

BAGA. — (*Voix d'enfant. Tourne toujours.*) Justement je n'aime pas le dessert papa.

LE ROI. — Eh bien... Oh merde.

BAGA. — (*Voix d'enfant.*) Oh papa qu'a dit merde-e-e-e papa qu'a dit merde-e-e-e !

LE ROI. — (*Il hurle.*) Baga arrête-toi !

BAGA. — (*Il s'arrête. Voix normale.*) Tu es lamentable. (*Il est exténué et s'affale sur le lit.*)

LE ROI. — Qu'est-ce que j'aurais dû dire ? Ils sont tous comme ça ?

BAGA. — Tous. Il faut sévir.

LE ROI. — Mais après le dessert qu'est-ce qu'il y a ?

BAGA. — Suffit pour aujourd'hui.

LE ROI. — Ce n'est pas de ma faute à moi. On ne pourrait pas le choisir un peu tranquille ?

BAGA. — Un léthargique ? Tu veux une chiffe molle ?

LE ROI. — Non mais...

BAGA. — Ce sera ou un garçon ou une chiffe.

LE ROI. — En somme pourquoi est-ce qu'on ne prendrait pas une fille ? C'est plus calme non ?

BAGA. — Et la loi salique ?

LE ROI. — On n'a qu'à l'abroger.

BAGA. — Impossible.

LE ROI. — Baga tu pourrais bien faire ça pour moi.

BAGA. — Je te dis que c'est impossible. Il nous faut un garçon.

LE ROI. — Bon. (*Un temps assez long.*) Je suis triste Baga. Tout ce qu'on fait est triste, cette chambre est triste, la vie

BAGA. — Tu ne vas pas remettre ça non ?

LE ROI. — Mon âme est triste.

BAGA. — Allons bon !

LE ROI. — On se force tout le temps. Je me disais que ça changerait, je pensais... (*Un temps.*) Si on pouvait se retirer. On n'a même pas envie... Tu vois le ressort de la vie c'est l'envie. On dirait un jeu de mots profond. (*Un temps.*) Celui de la mort aussi. Quand on n'en a pas envie on meurt comme un chien.

BAGA. — Ecoute tu as fini ? Tu n'as pas besoin d'y penser. Et puis je suis là quoi.

LE ROI. — Tu es là oui. (*Un temps.*) Un immense voyage ! Tu ne veux pas ? Pourquoi tu ne veux pas ?

BAGA. — Mais je veux bien moi. Où ?

LE ROI. — Non ne demande pas. On fait les valises et on part demain.

BAGA. — Eh bien faisons les valises.

LE ROI. — (*Epanoui.*) Ah ! (*Un temps.*) Oh je suis bien !

(*Baga tire de dessous le lit une valise. Il l'ouvre puis va vers le placard.*)

BAGA. — Combien de paires de chaussettes ? Trois ? Quatre ?

LE ROI. — Cinq ! On va loin.

BAGA. — Alors cinq caleçons ?

LE ROI. — Et cinq chemises et cinq mouchoirs ! Et le complet de tweed avec une casquette. Ça fait voyage. (*Un temps.*) N'oublie pas le cache-nez et les lunettes noires. Nous voyageons incognito.

BAGA. — Cette manie de l'incognito ! De toute façon tout le monde nous reconnaît.

LE ROI. — Oui mais ça simplifie l'étiquette.

BAGA. — (*Il va du placard à la valise, emballe les effets.*) Qu'est-ce qu'on fait de Fifille ?

LE ROI. — On la laisse aux cuisines. Ils l'arroseront.

BAGA. — Tu n'as pas peur qu'elle crève ?

LE ROI. — Eh bien elle crèvera.

BAGA. — Décidément je ne te reconnais plus.

LE ROI. — (*Il se rengorge.*) Il faut savoir réagir ! (*Un temps.*) N'oublie pas mes pantoufles. (*Un temps.*) Demain ! Demain on couche dans une autre chambre !

BAGA. — Sur cour peut-être.

LE ROI. — Une autre chambre, des autres murs, un autre horizon ! Un horizon large large, l'infini !

BAGA. — (*Toujours occupé à la valise.*) Et qu'est-ce qu'on va dire aux bonnes ? Qui va les surveiller ? Elles vont faire la foire.

LE ROI. — Eh bien tant mieux ! Qu'elles s'amusent !

BAGA. — Et la caisse ?

LE ROI. — On l'emporte avec nous. (*Un temps.*) Baga.

BAGA. — Quoi ?

LE ROI. — L'avenir n'est jamais aussi horrible qu'on le croit.

BAGA. — On prend l'appareil photo ?

LE ROI. — Tordre le cou à l'avenir ! Le posséder jusqu'au trognon !

BAGA. — Et agressif avec ça !

LE ROI. — Baga on va faire peau neuve.

BAGA. — Il serait temps.

LE ROI. — Jamais trop tard. On va rattrapper le temps perdu, on va vivre ! Tout l'argent de la caisse y passera ! Nous libérer, plus de liens, plus de gouvernement, plus de rien ! On ira à l'aventure ! Ah Baga la liberté !

BAGA. — Ne t'excite pas, vieux. (*Un temps.*) Où as-tu mis tes lunettes de soleil ?

LE ROI. — Le soleil ! Tout nu dans le soleil ! (*Il prend le petit miroir à côté de lui et s'y regarde.*) Est-ce que je fais très vieille peau ?

BAGA. — (*Il lui prend le miroir des mains.*) Laisse ça et repose-toi. Tu t'excites beaucoup trop.

(*On frappe à la porte.*)

BAGA. — Entrez !

(*Entre le cuisinier, son bonnet à la main.*)

LE CUISINIER. — Sire ce n'est pas pour le déjeuner.

LE ROI. — Dommage. C'est pour quoi ?

LE CUISINIER. — C'est... je crois que c'est... enfin...

LE ROI. — Eh bien dites quoi !

LE CUISINIER. — Ce n'est pas quelqu'un qui est là Sire... Je crois que c'est quelqu'un qui se fait annoncer...

LE ROI. — Par qui ?

LE CUISINIER. — Par une estafette.

LE ROI. — Une estafette ?

LE CUISINIER. — Oui un cycliste.

LE ROI. — Il est là ?

LE CUISINIER. — Non il est reparti.

LE ROI. — Qu'est-ce qu'il a dit ?

LE CUISINIER. — Il a dit comme ça... Il a dit...

LE ROI. — Eh bien accouche !

LE CUISINIER. — Je ne sais pas Sire, je n'ai pas compris.

LE ROI. — Mais enfin cuisinier il parlait de quoi, à peu près ?

LE CUISINIER. — Je... je crois qu'il a dit un menu extraordinaire... Quelque chose comme ça.

LE ROI. — Pour qui ? Pour moi ?

LE CUISINIER. — Je ne sais pas Sire.

LE ROI. — Mais il fallait le retenir, lui demander des explications ! (*A Baga.*) Qu'est-ce que ça signifie ?

BAGA. — Je ne vois pas. (*Au cuisinier.*) C'est tout ce qu'il a dit ?

LE CUISINIER. — Oui je crois... Non il disait beaucoup de choses mais je n'ai pas compris.

BAGA. — Il n'a pas dit d'où il venait ? Ni pour qui ? Pourquoi crois-tu que c'est un messager ?

LE CUISINIER. — Je ne sais pas... Il a dit comme ça... un menu extraordinaire et il est parti.

(*Le roi par un signe laisse entendre à Baga que le cuisinier est fou.*)

LE ROI. — C'est bon cuisinier c'est bon. Allez.

(*Le cuisinier sort.*)

LE ROI. — Pauvre garçon. Est-ce qu'il mange assez ?

BAGA. — Qu'il boive assez c'est certain.

LE ROI. — A son âge ? Il a des chagrins d'amour ?

BAGA. — (*Hausse les épaules. Se remet à sa valise.*) Je disais donc lunettes noires... (*Il prend un calepin sur la table et note.*) et provisions de bouche.

LE ROI. — Un cycliste ? Un menu extraordinaire ? (*Un temps.*) Tu le connais le cuisinier ?

BAGA. — Si je le connais ?

LE ROI. — Tu connais ses chagrins d'amour ?

BAGA. — Depuis quand suis-je concierge Sire ?

LE ROI. — Tu ne vas pas me faire croire

BAGA. — Eh bien non figure-toi. Je ne connais pas les chagrins du cuisinier.

LE ROI. — C'est un tort.

BAGA. — Un tort ? Mais tu deviens gâteux !

LE ROI. — Je suis le père de mes sujets, je dois les connaître.

BAGA. — Eh bien rappelle-le et demande-lui son secret.

LE ROI. — J'ai un ministre, qu'il officie.

BAGA. — Jamais. Les secrets des autres... Je vide ton pot de chambre ça me suffit.

LE ROI. — Très bien très bien. (*Un temps.*) Qu'est-ce qu'on prend comme provisions ?

BAGA. — Un menu extraordinaire.

LE ROI. — Quel emmerdeur tu fais.

BAGA. — Je fais ministre Sire.

(*Le roi s'étend. Il se tourne du côté du mur. Baga boucle la valise, reprend l'arrosoir sur la table et va dans le cabinet. Il en ressort avec l'arrosoir et arrose la plante.*)

LE ROI. — (*Sans se retourner.*) Qu'est-ce que tu fais ?

BAGA. — J'arrose Fifille.

LE ROI. — C'est gentil ça. (*Il se retourne et s'assoit. Sourire épanoui.*) Baga.

BAGA. — Oui ?

LE ROI. — On part ! Oh je suis bien !

(*Un temps.*) Si on rejouait la comédie ?
Juste un coup ?

BAGA. — Repose-toi.

LE ROI. — Je me reposerai mais d'abord
tu te déguises, juste une fois.

BAGA. — (*Il hausse les épaules.*) Si tu
veux...

LE ROI. — En quoi ?

BAGA. — C'est la surprise. Couche-toi
et attends.

(*Le roi s'étend, tourné contre le mur.*)

LE ROI. — Tu me diras quand ?

BAGA. — Oui.

(*Baga va dans le cabinet de toilette. Un
temps assez long. Le roi ne bouge pas. La
porte du fond s'entrouvre. La mort apparaît. Elle est plus grande que Baga. Sque-
lette enveloppé d'un suaire. Elle porte sa
faux. Elle pénètre à pas de loup. Craque-
ment du plancher. Le roi se retourne.*)

LE ROI. — (*Effrayé.*) Tu m'as fait
peur ! (*Un temps.*) Pas mal tu sais ! On
dirait que tu as grandi.

VOIX DE BAGA. — Quoi ?

(*La mort s'approche du lit. Le roi est*

effrayé. Il met ses mains devant ses yeux.)

LE ROI. — Baga ! Tu me fais peur !

VOIX DE BAGA. — Minute ! Qu'est-ce que tu as ?

(*La mort abaisse sa faux.*)

LE ROI. — (*Terrifié.*) Baga ! Baga ! Non ! Non !

(*La mort d'un geste fauche l'air au-dessus du roi. Celui-ci laisse retomber ses bras. Il est mort. Bouche ouverte. La mort très vite s'en va par la porte.*)

VOIX DE BAGA. — Mais qu'est-ce que tu as ? Tu as vu une araignée ? (*Un temps.*) Hein ? (*Un temps.*) Réponds ! (*Un temps.*) Ça y est. J'arrive.

RIDEAU.

L'Hypothèse

Cette pièce a été créée à la Comédie de Paris en 1964.

Une pièce meublée sommairement. A droite un rayonnage servant de bibliothèque. Au fond un petit poêle qui se détache sur un mur très blanc. A gauche une table et un fauteuil. Mortin y est assis, en habit de cérémonie. Très grand, très sec, l'air halluciné. Il essaie de dire par cœur devant un public supposé un discours dont le texte est placé sous ses yeux. Sur la table également une carafe d'eau et un verre.

Le ton de Mortin est principalement celui de la mémorisation c'est-à-dire ne tenant pas compte des inflexions, pauses et accentuations voulues par la logique de la phrase. Il hésite souvent, se reprend, se réfère au texte. De temps à autre des passages mieux sus qu'il souligne d'effets de voix et de gestes cabotins.

Le débit est assez rapide.

MORTIN. — Dans un sens évidemment on pourrait dire que le manuscrit se trouve au fond d'un puits mais alors pas chez nous puisqu'il n'y aurait plus de puits donc qu'à un moment donné l'auteur se serait déplacé ne fût-ce qu'un temps très court emportant le manuscrit mais pour en faire quoi ? D'une part personne ne se souviendrait de l'avoir jamais vu se déplacer d'autre part tous ceux qui l'auraient connu mieux que de vue affirmeraient que son manuscrit était vissé à sa table et qu'il ne pouvait travailler que là. *(Un temps)* Il faudrait donc admettre pour ne pas laisser foirer la dernière chance qu'il se soit déplacé disons un ou deux jours avec son manuscrit que personne ne l'ait vu partir et qu'il soit revenu de même hypothèse sans intérêt puisque tous ceux qui l'auraient connu mieux que de vue auraient jusqu'à la fin vu le manuscrit vissé à la table mais l'hypothèse en un sens pourrait tout sauver. *(Il boit un verre d'eau. Un temps.)* Que ce manuscrit donc s'en irait à vau-l'eau et tout ce qu'il y aurait mis se relevant la nuit ne mangeant plus vivant pour ainsi dire à l'écoute non seulement des mots et des bruits mais des plus informulables silences et Dieu sait s'il y en aurait... s'il y en aurait eu... *(Un temps)* informulables silences et Dieu sait s'il y en aurait eu fixant des circonstances qui vu leurs répercussions ou mieux prolongements hors du conditionnel pourraient passer pour causes d'une situation telle que sans elles elle n'aurait pas de présent et un paquet d'autres circonstances elles présentes sans lesquelles cette situation toute conditionnelle n'aurait pas... sans lesquelles cette situation n'aurait pas... *(Blanc persistant. Un temps. Il se réfère au texte. Relève la tête.)* sans lesquelles cette situation de conditionnelle se ferait présente partant diminuée rognée rongée jusqu'à l'os inexistante on verrait donc que le puits l'improbable puits chez les autres serait une façon de transport de telle situa-

tion restons vagues dans une autre et tirant
d'elle et cætera j'abrège j'abrège dans le cas
en question puisqu'il y aurait là des puits
et ici pas, tendrait donc finalement à établir
que l'absence d'équivalence autrement dit
l'exceptionnel serait seul sujet à caution
autrement dit réel. (*Un temps. Il sort son
mouchoir de sa poche et se mouche. Un
temps. Se réfère au texte etc.*) Or l'hypothèse étant admise du manuscrit au fond
du puits et ce dernier ne se trouvant pas
sous la main de l'auteur celui-ci aurait dû
se déplacer partant rompre avec des habitudes dont ni les voisins ni les personnes
qui l'auraient connu mieux que de vue
n'auraient pu soupçonner qu'elles pussent
être rompues tant à cause premièrement de
l'esprit casanier de l'auteur, deuxièmement
de son manque d'imagination, troisième-
ment de son dégoût de toute manifestation
pouvant donner lieu à commentaires, qua-
trièmement du fait que sans manuscrit il
aurait été pratiquement inexistant, cinquiè-
mement des difficultés à surmonter vu sa
paresse pour dévisser ledit qu'aux dires de

ceux qui l'auraient connu mieux que de vue
seul un spécialiste et encore aurait pu
arracher de la table coin gauche fenêtre,
sixièmement de l'invraisemblance admis le
dévissage dudit d'un départ de l'auteur avec
impliquant l'intention à lui d'y travailler
ailleurs qu'à sa table fait proprement im-
pensable, nous disions qu'en dépit des
motifs énumérés lesquels selon toute vrai-
semblance auraient dû fonctionner comme
un frein puissant l'image c'est là que fatalement nous débouchons de l'auteur penché
sur ce puits et y jetant le manuscrit au lieu
de s'y jeter lui-même s'imposerait et deman-
derait dès lors pour que soit fondée l'hypothèse à être sinon développée du moins
indiscutée ce qui présenterait outre les circonstances énumérées et jouant comme difficultés ici aussi bien que comme motifs là
un obstacle à peu près insurmontable que
nous serions prêts néanmoins à surmonter
voire à réduire à rien au prix de ce que ça
nous coûterait. *(Un temps. Il tape sur la
table.)* Voire à réduire à rien au prix de ce
que ça nous coûterait. *(Un temps. Se réfère*

etc.) Dire aussi que le manuscrit vissé pourrait être une réplique du premier hypothèse toujours hypothèse qui impliquerait donc celle du départ dans la nuit de l'immersion du retour solitaire mais aussi du double-jeu et de sa nécessité. *(Un temps)* Pourquoi l'auteur vu la parfaite sécurité dans laquelle il se serait adonné à l'écriture aurait-il éprouvé le besoin de brouiller la piste en s'obligeant à recopier, sa sécurité n'aurait-elle été qu'apparente, aurait-il pressenti des haines autour de lui, sinon des haines la suspicion, de quoi aurait-il été suspect, cette suspicion aurait-elle été fondée, ne se serait-il pas agi plutôt d'une cabale rancune jalousie crainte terreur danger, pourrait-on logiquement poser l'hypothèse du danger, pour qui, un groupement isolé la société ce qui présupposerait soit que tous ceux qui l'auraient connu mieux que de vue n'étaient pas ses amis soit qu'ils étaient doublés par des inconnus lesquels non seulement n'apparaîtraient dans aucune relation des faits et gestes de l'auteur mais qui les faits matériels seraient là auraient à l'insu dudit dû

s'introduire vu son caractère incommuni-
catif et casanier chez lui pour constater la
chose quelle chose, manuscrit vissé réplique
du premier, travail préalable sur ce dernier,
recopiage sur le vissé, indices des raisons de
la chose quelle chose, doutes de l'auteur,
angoisse sommeil agité... sommeil agité...
(Sur le mur du fond apparaît projetée ciné-
matographiquement la figure de Mortin le
double de sa grandeur naturelle. Très nette.
Dix secondes. Mortin la remarque, se passe
la main sur les yeux. L'image disparaît. Un
temps. Mortin se réfère etc.) Angoisse sommeil agité car il devrait être tenu pour cons-
tant que le vissé n'était pas un simulacre
toute hypothèse tombant sinon partant
toute réalité de quoi, des faits qui sans cette
hypothèse non seulement ne pourraient être
en tant que tels mais n'auraient pas et ceci
ni là-bas ni chez nous où l'absence de puits
seule lui aurait donné le jour provoqué
dans l'esprit l'ombre du doute établissant
pour ainsi dire l'auteur à sa table lequel par
la suite n'aurait écrit ce que sans la compli-
cité de ceux qui l'auraient connu mieux que

de vue et les supposant ses amis il aurait été
dans l'impossibilité de prévoir n'étant lui-
même qu'une hypothèse. *(Un temps. Il se
lève. Mains appuyées à la table.)* L'auteur
l'auteur où se trouve l'auteur. *(Un temps.)*
On supposerait en définitive que vu la carence de preuves infirmant l'hypothèse du
puits l'auteur nécessairement aurait dû s'y
rendre étant donnée la difficulté la simple
difficulté d'entendre qu'à un moment donné
je souligne l'idée soit venue mais à qui d'un
rapport possible entre cette carence ou disons défaut et le fait qu'à ce moment certain malaise aurait plus évidemment tendu
mais pour qui à prendre forme soit littéraire soit simplement psychologique, à ce
propos être fondé à ne rien supposer n'apparaît pas plus souhaitable... n'apparaît pas
plus souhaitable... *(Blanc persistant. Un
temps. Se réfère etc.)* n'apparaît pas plus
souhaitable que le contraire le malaise en
question n'ayant pu surgir que d'un
complexe apparemment humain à moins
qu'il ne faille se perdre dans des considéra-
tions heureusement pas indispensables, un

certain complexe restons vagues englobant
nombre infini de possibles pris ici dans le
sens de phénomènes postulat autrement
déroutant que l'hypothèse puisque n'étant
pas ils préexisteraient à celle-ci. *(Un temps)*
Nous serions en plein mystère... *(Un temps)*
en plein mystère l'auteur à sa table écrivant
dans l'esprit de l'auteur présumé qu'il aurait avant l'hypothèse du puits et cela sous
toutes réserves effectivement soit directement sur le manuscrit vissé soit sur un
brouillon consigné ce que sous toutes réserves ses voisins ou parents auraient été à
même de connaître de tels faits alors non
oubliés de tels gestes gravés et de tels mots
assez peu significatifs pour donner lieu à
une chronique l'auteur... l'auteur où se
trouve l'auteur... *(Il contourne la table et
va vers la bibliothèque. Cherche longtemps
un livre qu'il ne trouve pas. Gestes d'impatience. Un temps. Tourné vers le public.)*
pour donner lieu à une chronique l'auteur
nouvelle hypothèse se serait trouvé mêlé
aux circonstances que sans celle du puits ni
lui ni l'auteur effectif ni vous ni moi ni per-

sonne n'aurait jamais pu soupçonner circonstances répétons-le problématiques mais
il serait temps de leur faire crédit ce serait
beaucoup s'avancer... beaucoup s'avancer
néanmoins vu le parti pris par l'auteur quel
qu'il soit d'en écrire et celui de votre
serviteur d'en discourir j'inviterais ceux que
ne rebutent ni les aléas de la pensée ni les
difficultés du langage à ce qu'il faudrait
bien appeler un jeu sans le scrupule de les
voir sous la direction que j'aurais assumée
je ne dirais pas douter mais y tendre de l'efficace possible de ce langage. *(Un temps. Il
retourne vers la table, se réfère etc. Tourné
vers le public. Ton très cabotin.)* Il ne
s'agirait pas Messieurs de mettre des bâtons
dans les roues de votre entendement mais
de le prédisposer par l'exposé des embarras
fatalement et comme à dessein proposés par
la route à suivre de s'armer de patience et de
lucidité. *(Se réfère etc.)* Dans l'hypothèse
de l'acceptation la question ne saurait être
reposée le sort en serait jeté et je me verrais
sinon disposé du moins contraint le mot
indispose mais qu'on me comprenne de sup-

poser ce qui dans l'esprit de l'auteur préposé
aurait fait sinon surgir du moins mûrir
l'idée d'une déposition ce précisément qui
nous aurait imposé l'hypothèse... nous aurait imposé l'hypothèse... *(Se réfère etc.)*
l'hypothèse selon quoi il aurait été de près
ou de loin mêlé aux événements qui se pose-
raient à la base de l'édifice devant être dans
la lumière aveuglante risquant d'en surex-
poser l'image j'insiste hélas sur la contrainte
sans préjudice pour quiconque hormis ceux
*(Réapparition de l'image projetée, deux
fois plus grande que précédemment. Mortin
ne la voit pas, elle est derrière lui.)* qui faute
d'une constante opposition s'y laisseraient
prendre et ce ne serait pas faute d'avoir été
prévenus compte tenu des difficultés inter-
posées et sous cette responsabilité mienne
dont ferait foi la signature apposée auxdits
événements sans mémoire laborieusement
superposé. *(Il se frotte les mains de conten-
tement tout en se tournant vers la bibliothèque. Voit l'image projetée. Mouvement
de recul. L'image disparaît. Mortin se passe
la main sur les yeux. Un temps. Hausse les*

épaules. *Un temps. Prend son texte sur la table et va vers la bibliothèque. Ton normal.)* L'auteur l'auteur où se trouve l'auteur... *(Regard machinal sur les titres de quelques livres. Geste d'impuissance. Un temps. Se réfère etc.)* Il y aurait l'auteur effectif ou celui qui de la circonstance du puits aurait fait une hypothèse l'auteur présumé étant celui qui ne fût-ce qu'un temps très court se serait déplacé avec le manuscrit et l'aurait jeté dans le puits... *(Se réfère etc.)* lequel auteur ne pourrait être dit relaté par l'effectif car comment celui-ci se saurait-il l'être posant justement l'hypothèse et présupposant par là le manuscrit, d'autre part des faits consignés dans ledit comment l'auteur effectif pourrait-il être averti sans le fait du présumé le manuscrit allant à vau-l'eau dans le puits donc excluant non seulement la connaissance desdits mais celle même de leur scripteur, et qui parlerait du manuscrit il ne serait au fond du puits que par suite d'une hypothèse d'où nature doublement hypothétique des auteurs ils n'existeraient pas ce qui rendrait inexplicable non seulement la possibilité d'une hypothèse mais celle aussi d'une connaissance même approximative des faits consignés, qui les connaîtrait, qui les aurait rassemblés, qui les aurait anéantis, qui les aurait retrouvés, qui qui qui ? *(Un temps. Il retourne vers la table)* Nous disions qu'il serait souhaitable d'envisager une connivence entre auteur effectif et auteur présumé... *(Il se verse un verre d'eau et boit. Un temps.)* souhait qui sous-entendrait leur coexistence laquelle semblerait problématique... *(Un temps)* Aux fins d'éviter ce nouvel écueil ne pourrait-on simplement envisager ceci sous toutes les réserves d'usage une éventuelle existence des faits comme indépendante des auteurs et des acteurs eux-mêmes... *(Se réfère etc. et tout en récitant se tourne vers le mur.)* et à la connaissance de quoi pourrait atteindre je ne dirais pas le premier venu mais toute personne douée d'une forte subjectivité, la question de savoir qui aurait eu connaissance des faits et s'ils seraient réels serait ainsi minimisée lesdits se manifestant pour ainsi dire hors de leur propre éventualité... *(Réapparition de l'image deux fois plus grande que précédemment. Mortin tire de la poche intérieure de son veston ses lunettes, regarde à une petite distance si elles sont propres, les essuie avec son mouchoir et les chausse. Un temps. On voit alors l'image remuer les lèvres comme si elle parlait. Un temps. Mortin très posément se dirige vers la table, la contourne, ouvre le tiroir, y prend un revolver, en vérifie le mécanisme. Un temps. Puis il vise sur l'image et tire. Forte détonation. L'image disparaît. Mortin prend un chiffon dans le tiroir et tranquillement essuie le revolver qu'il repose dans le tiroir. Puis il va vers le mur, constate que la balle est entrée dedans et revient vers la table. Il s'assoit, remet ses lunettes dans sa poche. Se réfère etc.)* lesdits se manifestant pour ainsi dire hors de leur propre éventualité et saisissant la personne comme pourrait le faire n'importe quelle atmosphère un peu dense la pénétrant et l'obligeant à répandre malgré soi autour d'elle un reflet de leur fausse évidence à quoi elle donnerait une forme qui pour être d'emprunt n'en aurait pas moins toutes les apparences réelles. *(Un temps)* L'auteur donc à sa table écrivant que ce soit sur brouillon ou directement sur le manuscrit vissé ou sur un original dont le vissé ne serait qu'une réplique disons duplique question que je taxerais provisoirement d'insoluble bien qu'elle doive ne l'être pas dans un décor qu'on pourrait imaginer à peu près semblable à celui-ci *(Geste circulaire)* pour ne pas se perdre dans les détails soit une pièce meublée sommairement à droite un rayonnage servant de bibliothèque au fond un petit poêle qui se détache sur un mur très blanc à gauche une table et un fauteuil où serait assis l'auteur écrivant écrivant écrivant quoi toute la question serait là difficile de placer ici une nouvelle hypothèse le manuscrit jeté au fond du puits n'ayant jamais dû parvenir à la connaissance de l'auteur... parvenir à la connaissance de l'auteur effectif que nous ne chercherions pas à identifier pour la raison que le... *(Se réfère au texte. D'un geste colérique barre de plusieurs coups de crayon quelque chose sur le manuscrit. Relit à voix basse. Un temps.)* L'auteur donc à sa table écrivant dans le décor susdit aux dires des personnes qui l'auraient connu mieux que de vue car sans leurs précieuses indications que saurions-nous soyons logiques des habitudes du reclus et de ces personnes elles-mêmes que saurions-nous, des voisins ? des parents ? une fille ? *(Il se lève et texte en mains arpente la pièce.)* Aucune raison d'exclure à priori la fille naturelle. L'avantage de cette hypothèse serait une présence continue une longue habitude des habitudes du père vraie mine de renseignements pour peu qu'on imagine la séquestrée débarrassée aux alentours mettons de la quarantaine d'un père indigne par la mort subite, condamnée toute sa vie au silence le plus dégradant et rendue soudain à la lumière et à la vie le jour des funérailles, extrêmement farouche néanmoins les premiers temps et ne laissant filtrer de son mutisme que des monosyllabes tels con dingue brute merde... con dingue brute merde... *(Un temps. Se réfère etc.)* puis peu à peu mise en confiance

par les disons voisins et révélant tout de
son existence abominable, levée au petit
jour vidant les ordures nettoyant les lieux
faisant la vaisselle de la veille pour ne pas
dire l'avant-veille tant la veille elle se serait
trouvée affaiblie par les privations peut-
être même tortures, préparant un repas sor-
dide de trognons de choux et de lait aigre
allant réveiller son père couché en chien de
fusil sur un grabat se faisant injurier lorsqu'elle tirerait le rideau pour laisser passer
un peu de jour lui suggérant d'une voix
soumise de l'aider ce qui ferait bondir le
vieux qui se mettrait à la battre, retournant
à sa cuisine et pleurant jusqu'à ce que son
bourreau rapplique et se mette à ingurgiter
le brouet avec un bruit dégoûtant bavant
crachant les trognons à la figure de la malheureuse puis tirant à lui la pauvre nappe
rapiécée pour s'en essuyer la bouche et ren-
versant de ce fait la soupière et le reste se
levant et arpentant la pièce en faisant de
grands moulinets des bras... *(Il fait le geste.
Un temps.)* moulinets des bras... *(Se réfère
etc.)* qui ne manqueraient pas d'atteindre

la pauvrette vu l'exiguïté de la cuisine s'arrêtant net au beau milieu et se mettant à uriner pour scandaliser l'enfant et lui donner un surcroît de besogne, repartant en hurlant et laissant la martyre parmi ses trognons et sa pisse laquelle pour ne pas perdre une minute se mettrait à faire le ménage oubliant même de manger malgré sa faim perdant plusieurs fois sa jupe tant sa maigreur irait s'accentuant récurant dans les coins lavant à l'eau froide les caleçons du monstre et ses propres petites culottes toutes ravaudées relevant parfois la tête de dessus son ouvrage et se prenant à maudire le jour qui l'aurait vue ou ne l'aurait pas vue naître, se posant des questions sans réponses au sujet de sa mère rabâchant dans sa pauvre petite tête deux ou trois phrases sans suite... *(Se réfère etc.)* phrases sans suite qu'elle aurait entendu débiter par son père au travail s'affalant exténuée sur un tabouret et restant prostrée des heures n'ayant même pas la ressource de lire ni de tricoter écoutant les rares bruits du dehors n'osant pas mettre le nez à la fenêtre d'ailleurs mu-

rée ni sortir dans la petite cour d'ailleurs
impraticable du fait de l'entassement de
mobilier de styles divers objets de brocante
d'un locataire sans-gêne attendant la nuit
heureuse quand son tyran ne l'aurait pas
appelée vingt fois de suite pour lui faire
ramasser la répugnante boulette tirée de
son nez qu'il ne cesserait de faire rouler
entre ses doigts et de jeter par terre obligeant parfois sa victime à l'avaler sans
sourciller le moindre signe de dégoût de sa
part lui attirant une volée de coups de règle
et de pied et cela pendant quarante années
jusqu'à celle bénie de la mort et des funérailles. *(Un temps. Il va s'asseoir et boit un
verre d'eau. Sort son mouchoir et s'éponge
le front. Remet son mouchoir dans sa poche. Compte en se léchant le bout du doigt
le nombre de pages qu'il lui reste à réciter.
Un temps.)* Du nerf Messieurs du nerf.
On imaginerait assez la pauvre fille un matin se rendant chez son père et le trouvant
allongé de biais la tête pendant hors du
grabat le regard fixe et la bouche ouverte
elle croirait d'abord à une fumisterie le

vieux ne s'étant pas fait faute de cabotiner
toute sa vie, se tiendrait sur le seuil prête à
subir l'habituel sarcasme ou la bordée d'in-
jures attendant un peu puis se décidant à
articuler mon papa c'est l'heure, se répétant
à un intervalle de deux secondes se répétant
à nouveau plus fort puis avec précaution
s'approchant du cadavre, retenant soudain
un cri au spectacle de la mort son instinct
lui disant que tel serait le cas puisqu'aussi
bien l'être le plus dépourvu de jugement...
dépourvu de jugement... *(Un temps)* ne
serait pas long à se rendre à cette sorte d'évidence restant clouée sur place et faisant
inconsciemment la même mimique que le
défunt puis soudain courant à la fenêtre...
*(Il se lève précipitamment et fait le geste
d'ouvrir une fenêtre sur le public.)* et l'ou-
vrant sur la rue et criant ah ah ah comme
une bête qu'elle serait faisant se retourner
une passante puis s'ouvrir la fenêtre d'en
face, continuant de crier et d'ameuter le
monde et bientôt sanglotant nerveusement
on ne saurait si ce serait de rire ou de terreur
restant à la fenêtre près de dix minutes

jusqu'à ce qu'une des personnes alors grou-
pées dessous s'avise qu'un malheur est ar-
rivé et pénétrant dans la demeure se fraie
un passage jusqu'à la chambre appelle à la
rescousse la pauvre fille se mettant à gesti-
culer et à se rouler par terre la maintienne
sur le plancher et avec l'aide d'une personne
bénévole la sorte dans la rue et la confie
enfin à des femmes dont la vue calmerait
aussitôt la malheureuse. *(Un temps. Il
reprend son texte sur la table et va vers la
bibliothèque. Tourné vers le public. Une
image du double de la précédente apparaît
sur le mur. Mortin ne la voit pas et continue de réciter.)* Ce ne serait qu'au bout de
plusieurs jours que grâce aux soins des
bonnes volontés... grâce aux soins des
bonnes volontés... *(Un temps. Se réfère etc.)*
qui se relaieraient à son chevet la malade
car elle le serait se mettrait à ne plus vomir
ce quelle aurait fait jusque-là vu le rétrécis-
sement de son estomac qui n'aurait pas sup-
porté les aliments trop riches qu'on lui
aurait fait avaler de force tant serait aveugle
la sollicitude des gens déterminés à se rendre

utiles et à prononcer les quelques monosyllabes déjà cités lesquels scandaliseraient d'abord les femelles qui s'y feraient vite avides qu'elles seraient d'en savoir davantage sur la séquestrée et sur son parâtre puis à se radoucir et ramollir jusqu'à une sorte de prostration (*L'image parle. On ne saisit pas les mots. Murmure allant crescendo jusqu'à la fin de la phrase de Mortin qui s'en apercevra à ce moment-là.*) qui durerait plusieurs semaines le docteur étant d'ailleurs intervenu entre temps et ayant prescrit l'alimentation au compte-gouttes... au compte-goutte mais n'étant pas autrement inquiet et faisant patienter tout le monde jusqu'au jour où effectivement la malade reprenant des forces commencerait convalescente non sans grandes difficultés au début à parler de son existence de bête de somme ne s'adressant pour ainsi dire pas à ses interlocuteurs mais comme se parlant à elle-même ceux-ci interprétant de façons diverses son monologue lesquelles interprétations iraient se déformant parmi la population si bien que l'immonde se mêlerait à l'immoral l'immoral au bestial et le bestial au surnaturel aucune de ces interprétations ne pouvant être tenue pour véridique par un esprit pondéré. *(Un temps. Il se retourne au bruit que fait l'image. Reste très calme et l'écoute dégoiser, le dos tourné au public.).*

IMAGE DE MORTIN. — ...Même présence continue même longue habitude des habitudes du père vraie mine de renseignements contradictoires pour peu qu'on imagine l'affectionnée frustrée aux alentours mettons de la trentaine de la tendresse d'un père adoré par la mort naturelle accoutumée aux attentions les plus délicates et au bavardage le plus exquis et rendue soudain à la brutale réalité le jour des funérailles extrêmement abattue les premiers temps et ne tarissant pas en plaintes émaillées de tendres appellations telles chat chou cœur ange etc. puis à travers ses larmes révélant aux disons voisins les douceurs de son existence réveillée à midi son père ayant vidé les ordures nettoyé les lieux fait la vaisselle du jour et du lendemain tant son

zèle aurait été grand à lui venir en aide
servie au lit par l'aimable vieillard qui la
bourrerait d'abord de sucreries et de vitamines puis la laissant se rassoupir jusqu'au
déjeuner irait préparer un repas de tourte-
relles et de lapin fourré aux amandes douces
venant la réveiller à nouveau n'osant tirer
le rideau de percale de peur de la réveiller
lui chuchotant d'une voix d'ange qu'elle ait
à se réveiller ne la réveillant toujours pas
retournant à la cuisine et fredonnant des
berceuses jusqu'à ce que la petite gâtée
veuille bien se dire éveillée et vienne s'asseoir rêveusement à table où elle se tasserait
le déjeuner (*Mortin se prend la tête des
deux mains. Toujours dos au public.*)
l'arrosant de vin d'Espagne tout en devi-
sant agréablement se tamponnant de temps
à autre le coin de la bouche d'un mouchoir
au point de Venise et fascinant son père par
l'embompoint et la grâce de toute sa personne lesquels le feraient se lever et déposer
sur le front de l'enfant un baiser chaste
et passionné puis refrénant ses transports
il se mettrait à débiter un long poème où il

ne serait question que de ses charmes à elle
enfin se décidant à la quitter retournerait à
son bureau toujours en fredonnant la laissant roter à la paresseuse sur son café dont
elle hésiterait à prendre une seconde tasse
partagée qu'elle serait entre le désir de se
rendormir et celui d'avancer la main vers la
cafetière réfléchissant longuement au di-
lemme puis se rendormant finalement et
rêvant à sa petite maman de souche aristo-
cratique à laquelle elle réciterait en guise de
compliment le merveilleux poème de son
papa qui collerait très bien et qu'elle irait
fleurissant de ses propres petites découvertes
philologiques et lexicologiques faisant dudit
dans sa candeur un véritable petit chef-
d'œuvre de stupidité croquignolesque en-
tendant à travers les voiles du demi-som-
meil une limousine passer dans l'avenue ou
le petit garçon si bien élevé du cinquième
sifflotant comme un pinson dans la cour
se reréveillant enfin à la nuit tombante et
allant faire à son papa une surprise lui ap-
portant une truffe au chocolat qu'elle aurait
prise dans le buffet et la lui offrant en

disant ouvre la bouche et ferme les yeux et cela pendant trente années jusqu'à celle honnie de la mort et des funérailles. *(L'image disparaît. Mortin se tourne vers la bibliothèque. Mouvement de rage. Il prend un à un les livres et les fait voler dans la pièce. Puis il retourne s'asseoir et boit un verre d'eau. Un temps. Se réfère au texte, relève la tête et poursuit son discours en articulant d'abord sans voix. Vingt secondes. Puis ton normal.)*

MORTIN. — Il serait temps pour ne pas nous perdre dans le détail d'ailleurs ignoré des journées du reclus d'aborder l'épisode du départ dans la nuit dont nous avons fait entendre qu'il aurait été déterminant dans l'histoire du manuscrit. Qu'on imagine l'auteur un soir l'esprit ruiné par un long travail sans méthode s'avisant tout à coup de l'inanité de son effort et tombant dans un abattement qui se traduirait physiquement par un relâchement de tous les muscles entraînant une modification abrupte de sa physionomie et de toute sa personne pour en affecter même l'intérieur et provoquer une descente sinon des organes du moins des produits de la digestion... *(Il se réfère au texte. Rit. Prend ses lunettes dans sa poche, les chausse et regarde de plus près. Gros rire. Continue sa lecture à voix basse, tourne une page. Remet ses lunettes dans sa poche. Relève la tête.)* Voilà donc notre homme embrenné jusqu'aux aisselles et son peu d'énergie diminué d'autant sur le point de périr parmi cette défécation malencontreuse. A noter en passant que notre énergie ou volonté le meilleur de nous-mêmes résiderait dans ces matières qui trop abondamment lâchées... trop abondamment lâchées... nous mettraient dans l'état de complète prostration où se trouverait l'auteur ce soir-là. Nous serions nous-mêmes humanistes de profession que nous serions férocement opposés à tous les produits favorisant l'évacuation de ce que nous appellerions sans forcer les termes notre moi spécifique. *(Un temps)* Comment ne pas rêver en effet d'une humanité enfin consciente d'elle-même restaurée par une constipation éclairée, l'émulation entre les êtres chacun désormais assuré de s'égaler aux plus grands par une ascèse prolongée, la stagnante médiocrité individuelle vaincue, un espoir nouveau, une complète révision des valeurs, une philosophie, une religion s'instaurant sur des bases solides et Dieu lui-même apparaissant enfin à l'humanité décillée comme un énorme tas de... *(Se réfère au texte. Rire idiot. Un temps. Relève la tête.)* Nous disions l'esprit ruiné par un long travail sans méthode. Ce serait en effet l'hypothèse la plus vraisemblable pour expliquer la décision qu'il prendrait à cet instant crucial à moins qu'il ne faille supposer que pressentant sa fin prochaine et n'ayant pu venir à bout d'un travail dont la logique n'aurait d'égale que la densité il décide par scrupule de le soustraire à la curiosité publique en le jetant dans le puits faisant à sa vanité d'auteur l'ultime concession de ne pas le livrer aux flammes de son poêle à charbon. *(Un temps)* Pourquoi concession, parce que l'immersion à cet esprit profondément marqué par l'amour de son œuvre... *(Se réfère etc.)* apparaîtrait moins définitive en tant que moyen de suppression ménageant la possibilité d'un repêchage providentiel quoiqu'il se défendît d'en envisager la plus lointaine réalisation. *(Un temps)* Pourquoi profondément marqué par l'amour de son œuvre, parce qu'en l'état de notre hypothèse... *(Se réfère au texte. L'image réapparaît le double de sa grandeur précédente. Mortin n'y prête pas attention, relisant son texte à voix basse pendant que l'image répond à sa place.)*

IMAGE DE MORTIN. — Parce qu'en l'état de notre hypothèse il nous semblerait plus attachant que l'auteur se présente sous cet aspect vulnérable la crédibilité de la suite de l'hypothèse ou de ses prolongements en étant facilitée d'autant.

MORTIN *(Il lit)*. — Pourquoi l'aspect vulnérable de l'auteur faciliterait-il la crédibilité de la suite de l'hypothèse... *(Une seconde image apparaît à côté de la première. Elles répondent toutes deux à l'unisson. Mortin a le nez plongé dans sa lecture.)*

IMAGES DE MORTIN. — Parce que le facteur passionnel qui lui donnerait cet aspect nous semblerait humaniser davantage notre quête en lui prêtant ce je ne sais quoi de moins gratuit tant il est vrai qu'on n'attire pas les mouches avec du vinaigre et que la moindre allusion à une faiblesse d'ordre affectif susciterait mécaniquement dans l'esprit des curieux un regain d'intérêt pour tel personnage preuve en soit par exemple la quantité fabuleuse de conneries relatives aux problèmes sentimentaux de parfaits inconnus étalée de nos jours dans la presse à seule fin de faire vendre celle-ci.

MORTIN (*Il lit*). — Pourquoi pressentant sa fin prochaine... (*Une troisième image apparaît. Idem.*)

IMAGES DE MORTIN. — Parce que vu l'isolement où nous supposons cet auteur sans même considérer son âge que nous ignorons vu l'impossibilité où il se trouverait de faire partager à quiconque des sentiments qui par là iraient s'étiolant et se racornissant vu d'autre part les difficultés auxquelles il se heurterait dans son travail et qui resteraient inexplicablement invaincues quels qu'auraient été ses efforts pour

les aplanir difficultés d'ailleurs faussement
rattachées par lui à la poursuite d'un idéal
littéraire (*Mortin se bouche les oreilles.*)
et qu'il faudrait tout bêtement considérer
comme inhérentes à sa nature morale voire
physique la contradiction en étant la manifestation la plus courante comme de pleurer au lieu de rire ou de roter au lieu de
péter ce désespoir latent et grandissant au
point de lui boucher toute perspective
d'avenir il nous semblerait plausible qu'une
sorte de révélation se fût fait jour en lui
sur sa fin dernière tant il serait vrai qu'une
certaine inaptitude à assumer les impedi-
menta de l'existence parlerait en faveur
d'une faiblesse congénitale dont il ne serait
pas vain d'attribuer la cause ou vice-versa
à un manque de foi total en ladite existence
carence qui se traduirait par le pressentiment susdit lequel d'ailleurs pourrait fort
bien s'être manifesté dès l'âge le plus tendre
et persister jusqu'à mettons quatre-vingt-
dix ans pourquoi le soustraire à la curiosité
publique parce que l'idée de laisser derrière
lui soit un monceau inextricable d'inepties

soit un travail (*Mortin saisit son manus-*
crit, se lève précipitamment et va le jeter
dans le poêle. Il reste ensuite debout au mi-
lieu de la pièce, se bouchant les oreilles,
face au public. Le débit des images est de
plus en plus rapide, leur ton de plus en plus
fort. Expression féroce.) dont la rigueur ne
supporterait pas l'inachèvement serait into-
lérable à sa vanité d'auteur laquelle tout
en pouvant aux yeux du profane passer
pour également vaine et ridicule trouverait
sa justification dans le fait qu'un homme
n'ayant comme on dit pas vécu et s'étant
réfugié tout entier dans son œuvre aurait à
cœur d'apparaître à la postérité sous le jour
qu'il aurait choisi jour flatteur et ne souf-
frant aucune altération le moindre écart
d'éclairage risquant de déformer la figure
par lui élue qu'il préférerait voir anéantie
à jamais plutôt qu'imparfaite cette fabrica-
tion ne pouvant égaler l'humaine créature
respirante suante et baisante qu'il n'aurait
pas été qu'à la condition d'être telle exactement qu'il l'aurait voulue pourquoi condition parce que profession pourquoi pro-

fession parce que suppression pourquoi
suppression parce que prévision pourquoi
parce que pourquoi parce que pourquoi
parce que pourquoi parce que pourquoi
parce que pourquoi parce que pourquoi
parce que pourquoi parce que pourquoi
parce que...

*(Les images disparaissent. Un temps.
Mortin laisse retomber ses mains. Un temps
très long. Puis il enlève brusquement son
veston et le jette derrière lui. Puis sa cravate.
Puis sa chemise. Puis son pantalon. Hésite
à enlever son caleçon. Le garde. Enlève ses
chaussettes et ses souliers. Reste immobile
un temps assez long. Va vers le fauteuil,
s'assoit. Un temps. Se relève et revient au
milieu de la pièce. Un temps. Voix hésitante
et cassée.)*

Il finirait par y aller... *(Un temps)* Il
prendrait son manuscrit sous son bras... il
fermerait sa porte... il partirait... dans la
nuit... vers le puits... *(Un temps)* Il traver-
serait le petit sentier bourré d'orties... il se
prendrait le pied dans un fil de fer... il s'éta-
lerait... il se relèverait... toujours serrant

le manuscrit... *(Un temps)* Il rejoindrait
la petite route bordée d'acacias et de ces
plantes puantes comment ça s'appelle...
comment ça s'appelle... *(Un temps)* Il
continuerait vers le puits qui serait... plus
que jamais dans son cœur... nécessaire... à
sa vie ratée... *(Un temps)* Tout en mar-
chant il se dirait... il se réciterait... un discours... un discours sur les débris... les débris... où d'autres solitaires comme lui...
auraient essayé toute leur vie... de donner
un sens à la mort... un sens à la mort... sans
même le savoir... sans même savoir que
c'était d'elle qu'il s'agissait... à travers les
petits aléas de leur existence... *(Un temps)*
Un discours pompier... qu'il s'aviserait soudain... *(Un temps)* un discours pompier
qu'il comprendrait que ce serait celui du
manuscrit sous son bras... *(Un temps)* Et
il serait bien étonné... il ne se serait jamais
douté... d'avoir fabriqué des symboles...
(Un temps) Il trouverait dans les mots
bêtes de la dernière heure... la clé des rêves
compliqués... qu'il aurait voulu faire bril-
ler dans son livre... *(Un temps)* Il ne

regretterait rien... plus rien... puisqu'il mettrait... enfin... le doigt sur sa vraie misère...
(Un temps) Il verrait défiler dans sa tête...
dans sa tête... toutes les occasions perdues
de se taire... *(Un temps)* Elles lui apparaîtraient trop tard comme les seules... trop
tard comme les seules... qui auraient eu une
chance... d'éclaircir le mystère... le mystère...
(Un temps) Les occasions perdues de se
taire... *(Un temps.)* Les occasions perdues
de se taire... *(Un temps)* Les occasions perdues...

RIDEAU

Nuit

Pièce radiophonique

Cette pièce a été créée à la radio de Stuttgart en 1972, dans la traduction de Gerda Scheffel.

Voix de

AL
BEN

puis de
A, B et speaker

Ton très proche des deux interlocuteurs.
AL. — Qu'est-ce que j'entends ?
BEN. — Qu'est-ce que tu entends ?
AL. — Ecoute.
(*Crissement du grillon. Dix secondes.
Il cesse aussitôt que parle l'un des deux inter-
locuteurs.*)
C'est le grillon.
BEN. — En février ? Tu veux rire.
AL. — Je te dis que c'est un grillon.
Ecoute.
(*Crissement du grillon. Cinq secondes.*)
BEN. — Tu bats la campagne. Ou tu as
de la cire ou je ne sais quoi sur le tympan.
AL. — Il se tait quand on parle.
Chchcht, écoute.
(*Crissement du grillon. Cinq secondes.*)
Un grillon dans notre chambre ! Comme
chez le boulanger. Ça porte bonheur.
BEN. — Je te dis que tu as les zizis, Al.
Il n'y a pas plus de grillon que...

AL. — Il y a des gens qui ne l'entendent pas. Je me souviens, ma grand-mère...

BEN. — Laisse ta grand-mère en paix et dors. Je suis fatigué.

(*Crissement du grillon. Dix secondes.*)

AL. — Ben.

BEN. — Hein ?

AL. — Ce serait formidable de l'acheter cette maison.

BEN. — Où trouver le fric ? Il nous manque les trois quarts de la somme.

AL. — On ne peut pas marchander ? Ou alors payer par acomptes ? On y mettrait le temps, c'est tout.

BEN. — Elle veut un paiement comptant.

AL. — Cette vieille grippe-sous.

BEN. — Laisse la vieille tranquille et dors, je suis fatigué.

(*Crissement du grillon. Cinq secondes.*)

AL. — Tu es toujours fatigué. Je n'ai pas sommeil.

BEN. — Alors compte tes grillons.

AL. — Je crois qu'il n'y en a qu'un. Chcht...

(*Crissement du grillon. Cinq secondes.*)
Oui, un seul.

BEN. — Eh bien imagine plein de grillons dans un pré et compte-les.

AL. — Ils ne se rassemblent jamais. C'est un insecte solitaire. Pas comme les sauterelles. Tu te rappelles les sauterelles à Fantoine ?

BEN. — C'était des criquets.

AL. — Ils ne font pas le même bruit que les grillons. Plus sec. Je suis sûr que le pré de la vieille est plein de criquets en été. Dans la luzerne et l'esparcette. Oh Ben, ce serait formidable. On pourrait emprunter ?

BEN. — A qui ? Les copains sont tous fauchés.

AL. — Il y a des banques qui prêtent, des établissements pour ça.

BEN. — Il faut du crédit, un salaire fixe, des garanties. Nous n'avons rien.

AL. — Je pourrais travailler dans un bureau ?

BEN. — Je te vois dans un bureau ! Tu ne tiendrais pas trois jours.

AL. — Qu'en sais-tu ?

BEN. — Ce que j'en sais ? Tu ne peux pas rester une heure sans griffonner quelque chose. Tu ne peux faire que du dessin, et encore pas n'importe lequel, ton dessin à toi, tes machins.

AL. — C'est mal ?

BEN. — C'est très bien. Maintenant laisse-moi dormir.

(*Crissement du grillon. Dix secondes.*)

AL. — Ben.

BEN. — Hein ?

AL. — J'en ai un peu marre d'ici. Tu ne crois pas qu'on devrait changer ? La campagne ce serait une autre vie. Tu n'en as pas marre de cette chambre et de cette cour et de cette concierge qui gueule tout le temps ?

BEN. — Plus que marre.

AL. — Tu devrais écrire des romans policiers. Ça se vendrait comme des petits pains.

BEN. — J'ai essayé. Je ne suis pas doué. Il n'y a que le genre dialogue qui me convienne. Sans les petites commandes de la radio il ya longtemps que je serais sur la paille.

AL. — Alors... un roman d'amour ? Un truc sentimental...

BEN. — Le sentiment, pour ce que ça m'a réussi...

AL. — Tu ne m'aimes plus ?

BEN. — Si, Al, mais ce n'est pas...

AL. — Ce n'est pas quoi ? Excitant ?

BEN. — Si tu veux. Mais je ne me plains pas. C'est la vie.

AL. — C'est la vie.

(*Crissement du grillon. Dix secondes.*) Ben.

BEN. — Hein ?

AL. — Je ne suis pas très bien.

BEN. — Qu'est-ce que tu as ?

AL. — Un peu mal ici.

BEN. — Où ?

AL. — Ici.

BEN. — C'est l'estomac ?

AL. — Non, plus haut.

BEN. — Qu'est-ce que tu ressens ?

AL. — Je ne sais pas. Comme une crispation.

BEN. — Tu veux un calmant ?

AL. — Tu en as ?

BEN. — Une aspirine.

AL. — Je ne sais pas. Ça va passer.

(*Crissement du grillon. Dix secondes.*)

BEN. — Ça va mieux ?

AL. — Oui. Je pense à cette maison.

BEN. — Eh bien penses-y et tâche de dormir.

AL. — Ça m'excite plutôt. Tu te souviens combien il y a de fenêtres ? Deux en bas sur la grand façade, plus la porte vitrée, et deux en haut. Et sur l'autre, deux ou trois ? Il y a cette petite lucarne, je ne me souviens pas de sa forme. Pourquoi la vieille ne vend-elle pas en viager ? Ce serait la meilleure solution, tu ne crois pas ?

BEN. — Mmm.

AL. — Tu dors ?

BEN. — Mmm.

AL. — Ce serait une belle économie. Combien peut-elle demander par mois ? Ça ne dépense rien à cet âge.

(*Crissement du grillon auquel s'ajoute un faible battement sourd et régulier, celui du cœur. Dix secondes.*)

AL. — Salle de séjour en bas avec une grande cheminée et des fauteuils de cuir et des peaux de moutons. Et un bar plein de bouteilles et un tourne-disque et une télé dissimulée dans une vieille armoire. Rien que du vieux qu'on irait marchander chez des brocanteurs comme quand nous avions meublé la villa de cette millionnaire comment s'appelait-elle, c'était dans la Loire ou l'Indre-et-Loire ou le Loir-et-Cher...

(Seul, le faible battement sourd et régulier. Dix secondes.)

(Al baisse le ton légèrement.)
Et la cuisine avec des trucs modernes, évier aluminium et plaques chauffantes et frigo, ou plutôt faire la cuisine dans la grande cheminée, rien que des ustensiles démodés, des poëles, des bouilloires, des marmites, des grills, des broches, et dans la petite pièce les water, ou plutôt en haut de l'escalier avec salle de bain toute moderne en faïence jaune et bleue oui avec des... des...

(Battement un peu plus fort. Dix secondes.)

Ben.

(*Un temps.*)

Ben.

(*Battement un peu plus fort. Cinq secondes.*)

(*Le ton baisse encore.*)

En bas la salle de séjour avec une grande cheminée et des fauteuils de cuir et des peaux de moutons la cuisine dans la cheminée des grills des bouilloires des grills des bassines des bouilloires pourquoi ne vend-elle pas en viager quelle économie vous n'en avez plus pour longtemps ce sera tant par mois demandez à mon ami il a le sens des affaires ce n'est pas n'importe qui...

(*Battement un peu plus fort. Cinq secondes.*)

Ben.

(*Un temps.*)

Ben !

BEN. — (*Se réveille en sursaut.*) Quoi ? Qu'est-ce que c'est ? Qu'est-ce qu'il y a ?

AL. — Je ne suis pas bien. Donne-moi cette aspirine.

(*Bruit d'interrupteur, puis de tiroir ouvert, de menus froissements, et d'eau remplissant un verre.*)

BEN. — Tiens. Soulève-toi.

AL. — Merci. Mets l'oreiller plus haut.

(*Un temps.*)

Tu veux laisser allumé un moment ?

BEN. — Oui. Je n'ai plus sommeil.

AL. — Tu ne sais pas ce que je voudrais ?

BEN. — Quoi ?

AL. — Que tu me lises quelques pages de don Quichotte.

BEN. — Monsieur fait l'enfant gâté ? Si tu veux.

(*Un temps.*)

(*Bruit de pages tournées.*)

Que veux-tu que je te lise ?

AL. — La fin.

BEN. — (*Il lit* *.) « Comme les choses humaines ne sont point éternelles, qu'elles vont toujours en déclinant de leur origine

---

* Il s'agit de la traduction de Viardot.

à leur fin dernière spécialement les vies des hommes, et comme don Quichotte n'avait reçu du ciel aucun privilège pour arrêter le cours de la sienne, sa fin et son trépas arrivèrent quand il y pensait le moins. Soit par la mélancolie que lui causait le sentiment de sa défaite, soit par la disposition du ciel qui en ordonnait ainsi, il fut pris d'une fièvre obstinée, qui le retint au lit six jours entiers, pendant lesquels il fut visité mainte et mainte fois par le curé, le bachelier, le barbier, ses amis, ayant toujours à son chevet Sancho Pança, son fidèle écuyer. Ceux-ci, croyant que le regret d'avoir été vaincu et le chagrin de ne pas voir accomplir ses souhaits pour la délivrance et le désenchantement de Dulcinée le tenaient en cet état, essayèrent de l'égayer par tous les moyens possibles. « Allons, lui disait le bachelier, prenez courage, et levez-vous pour commencer la profession patorale, j'ai déjà composé une églogue qui fera pâlir toutes celles de Sannazar ; et j'ai acheté de mon propre argent, près d'un berger de Quitanar, deux fameux dogues pour garder le trou-

peau, l'un appelé Barcino, l'autre Butron. »
Avec tout cela, don Quichotte n'en restait
pas moins plongé dans la tristesse. Ses amis
appelèrent le médecin, qui lui tâta le pouls,
n'en fut pas fort satisfait, et dit : « De toute
façon, il faut penser au salut de l'âme, car
celui du corps est en danger. » Don Quichotte entendit cet arrêt d'un esprit calme
et résigné. Mais il n'en fut pas de même de
sa gouvernante, de sa nièce et de son écuyer,
lesquels se prirent à pleurer amèrement,
comme s'ils eussent déjà son cadavre devant
les yeux. L'avis du médecin fut que des
sujets de tristesse et d'affliction cachés le
conduisaient au trépas. Don Quichotte
demanda qu'on le laissât seul, voulant dormir un peu. Tout le monde s'éloigna, et il
dormit, comme on dit, tout d'une haleine,
plus de six heures durant, tellement que
la nièce et la gouvernante crurent qu'il pas-
serait dans ce sommeil. Il s'éveilla au bout
de ce temps, et, poussant un grand cri, il
s'écria : « Béni soit Dieu tout-puissant, à
qui je dois un si grand bienfait ! Enfin, sa
miséricorde est infinie, et les péchés des

hommes ne l'éloignent ni ne la diminuent. »

AL. — C'est maintenant qu'il fait son testament à Sancho ?

BEN. — Deux pages plus loin.

(*Bruit de page tournée.*)

« Le notaire entra avec les autres, et fit l'intitulé du testament. Puis, lorsque don Quichotte eut réglé les affaires de son âme, avec toutes les circonstances chrétiennes requises en pareil cas, arrivant aux legs, il dicta ce qui suit : « Item, ma volonté est qu'ayant eu avec Sancho Pança, qu'en ma folie je fis mon écuyer, certains comptes et certain débat d'entrée et de sortie, on ne lui réclame rien de certaine somme d'argent qu'il a gardée, et qu'on ne lui en demande aucun compte. S'il reste quelque chose, quand il sera payé de ce que je lui dois, que le restant, qui ne peut être bien considérable, lui appartienne, et grand bien lui fasse.

Si, de même qu'étant fou j'obtins pour lui le gouvernement de l'île, je pouvais, maintenant que je suis sensé, lui donner celui d'un royaume, je le lui donnerais, parce que la naïveté de son caractère et la fidélité de sa conduite méritent cette récompense. » Se tournant alors vers Sancho, il ajouta : « Pardonne-moi, ami, l'occasion que je t'ai donnée de paraître aussi fou que moi, en te faisant tomber dans l'erreur où j'étais moi-même, à savoir qu'il y eut et qu'il y a des chevaliers errants en ce monde. — Hélas ! Hélas ! répondit Sancho en sanglotant, ne mourez pas, mon bon seigneur, mais suivez mon conseil, et vivez encore bien des années ; car la plus grande folie que puisse faire un homme en cette vie, c'est de se laisser mourir tout bonnement sans que personne le tue, ni sous d'autres coups que ceux de la tristesse. Allons, ne faites point le paresseux, levez-vous de ce lit, et gagnons les champs, vêtus en bergers, comme nous en sommes convenus ; peut-être derrière quelque buisson trouverons-nous Madame Dulcinée désenchantée à nous ravir de joie. Si, par hasard, Votre Grâce se meurt du chagrin d'avoir été vaincue, jetez-en la faute sur moi, et dites que c'est parce que j'avais mal sanglé Rossinante qu'on vous a culbuté.

D'ailleurs Votre Grâce aura vu dans ses livres de chevalerie que c'est une chose ordinaire aux chevaliers de se culbuter les uns les autres, et que celui qui est vaincu aujourd'hui sera vainqueur demain... »
Enfin la dernière heure de don Quichotte arriva, après qu'il eut reçu tous les sacrements, et maintes fois exécré, par d'énergiques propos, les livres de chevalerie. Le notaire se trouva présent, et affirma qu'il n'avait jamais lu dans aucun livre de chevalerie qu'aucun chevalier errant fût mort dans son lit avec autant de calme et aussi chrétiennement que don Quichotte. »

(*Un temps. Puis reprend le battement sourd. Cinq secondes.*)

AL. — Pourquoi cette histoire est-elle aussi belle, où, quand et comment qu'on la lise ?

BEN. — Beaucoup d'art dit-on dans l'écriture, beaucoup de science.

AL. — On ne peut pas dire beaucoup de poésie et tout l'amour du monde ?

BEN. — On peut le dire, oui.

(*Un temps.*)

Tu ne veux pas que je termine ? Il reste la dernière page.

AL. — (*Le ton baisse encore.*) Je crois que je vais dormir.

(*Un temps. Déclic du commutateur. — Puis reprend le battement sourd qui décroît. — Quinze secondes. Il stoppe. Un temps.*)

BEN. — (*A mi-voix.*) Tu dors ?

(*Un temps.*)

Tu dors ?

(*Un temps.*)

Al, tu dors ?

(*Un temps. Il crie soudain :*)

Al ! Tu dors ? Al ! Al ! Al !...

(*Bruit de poste de radio que l'on referme.*)

(*A et B, deux autres voix. Ton d'une conversation ordinaire.*)

A. — Alors c'est ça la fameuse commande ?

B. — Qu'est-ce que tu en penses ?

(*Un temps.*)

Il me fallait faire mourir Al. Est-ce que c'est loupé ?

A. — Loupé, je ne dirais pas loupé...
Disons pompier. Et juste après la mort de
don Quichotte, vraiment...

B. — Il me fallait citer ce texte que tout
le monde a oublié.

A. — Ce devrait être l'un ou l'autre. Ou
don Quichotte ou Al qui y reste. Mais pas
les deux.

B. — Il me fallait aussi ce parallèle
entre deux amitiés, entre deux ententes. Ça
te dérange ?

A. — Il me fallait, il me fallait... Je ne
dis pas que ça me dérange mais si tu veux
mon avis...

B. — Donne-le moi.

A. — Je te répète que point trop n'en
faut.

B. — Il s'agit de théâtre.

A. — De théâtre ou de radio ?

B. — Quelle différence ?

A. — Monsieur veut de la théorie ?
Radio plus proche, transposition moins
apparente.

B. — Naturalisme ?

A. — Rien à voir. Mais des nuances,

des nuances... Dans le fond tu n'y tiens pas à mon avis.

B. — Je l'aurais voulu plus nuancé, justement.

A. — Par exemple.

B. — Par exemple, tu m'aurais dit la citation est trop longue ou le cri de Ben trop fort, ou le crissement du grillon inexplicable...

A. — Au fait oui, comment le justifier le grillon ?

B. — Il introduit d'emblée l'auditeur dans la fièvre d'Al. Le crissement est celui qu'entend le malade. De même que le battement de cœur est le sien. Micro subjectif.

A. — On ne comprend pas forcément.

B. — On doit comprendre. Question de réalisation.

A. — N'empêche que le plus beau de ton histoire c'est la phrase de don Quichotte à Sancho. « Si je pouvais maintenant que je suis sensé lui donner un royaume je le lui donnerais... »

B. — Et celle de Sancho à don Quichotte : « Ne mourez pas, mais suivez mon conseil car la plus grande folie que puisse faire un homme en cette vie, c'est de se laisser mourir tout bonnement... »

(*Un temps.*)

A. — Alors ?

B. — Alors rien. Tout était dit bien avant nous.

A. — Ce serait une raison pour ne plus rien dire ?

B. — Ma foi...

(*Petit coup de gong. Puis voix du Speaker chargé habituellement de la présentation de l'émission où sera inscrite cette pièce.*)

LE SPEAKER. — Vous venez d'entendre « Nuit », divertissement radiophonique de Robert Pinget. L'auteur étant soucieux de perfection il prie les auditeurs de lui donner leur avis au sujet de cette esquisse. Qu'ils veuillent bien lui écrire à...

TABLE DES MATIÈRES

CET OUVRAGE A ÉTÉ ACHEVÉ D'IM-
PRIMER LE TRENTE AOUT MIL
NEUF CENT SOIXANTE-TREIZE SUR
LES PRESSES DE L'IMPRIMERIE COR-
BIÈRE ET JUGAIN, A ALENÇON, ET
INSCRIT DANS LES REGISTRES DE
L'ÉDITEUR SOUS LE NUMÉRO 989

'Imprimé en France